能力で人を分けなくなる日

いのちと価値のあいだ

最首悟（さいしゅ さとる）

創元社

はじめに

中高生のみなさんと話をします。

年が移り、私は87歳になりました。諸事なめらかに進みません。家では４人兄妹の末っ子の星子と星子の母親と私の３人暮らしです。星子はいわゆる重度障害者ですが、47歳で、言葉はなく、目が見えず、食べることをはじめ自分の身の始末をしません。音楽が欠かせず、そして寝ている時も起きている時も、さもおかしそうに、くつくつ笑います。ほんとうに福がやってくるようです。

星子の世話は母親で、母親の世話は父親で、じゃあ私の世話はというと、星子に決まっているでしょ、と言われます。私は自分が自立した個人なのか、ずっと問題にしてきたのですが、ずばり星子頼みと言われるとそのとおりだと思うのです。

「人間」は「ひとのあいだ」と書きます。もとは「人が人といる場所」という意味です。そこから人そのものを意味するようになった。ということは、人にとって〈あなた〉がもともと不可分なのだ。そういうことを10年近く考えて、〈二者性〉という言葉が浮かんできました。私の星子頼みは、まさに〈二者性〉の現れなのです。

Godを「神」と訳したのは大まちがいと言われます。ゴッドは他に頼ることのない万物の創造者です。ゴッドは日本の神とはちがい、あくまでも〈一者〉なのです。ゴッドの御加護を祈りながら戦争をし、人を殺すことは、〈二者性〉からの発想ではありません。

戦争は今や武器の性能の争いが主ですが、愛国心や信仰心による国民の結束が欠かせません。日本も現人神（＝天皇）というゴッドのもとに戦争を起こし、朝鮮半島、中国、東南アジアの人々に多大の苦しみを負わせたこと、そして復興期の国家による棄民と言われた、今も続いている水俣病の人々の苦しみを忘れてはいけないと思っています。

とは言いながら、忘れていることがいっぱいあります。それとともに〈わからない〉という思いがつきまといます。どうしてこんなにわからないのだろう。ずっと劣等感につきまとわれていました。

それが、星子がやってきて、一緒に暮らすうちに〈霧が光る〉という想いがやってきました。そして、〈わからない〉ことは希望である、というふうに開けてきました。

わかろうとする努力は、「結局は、わからない」とあきらめるのではなく、〈いのち〉を生きていく希望なのです。

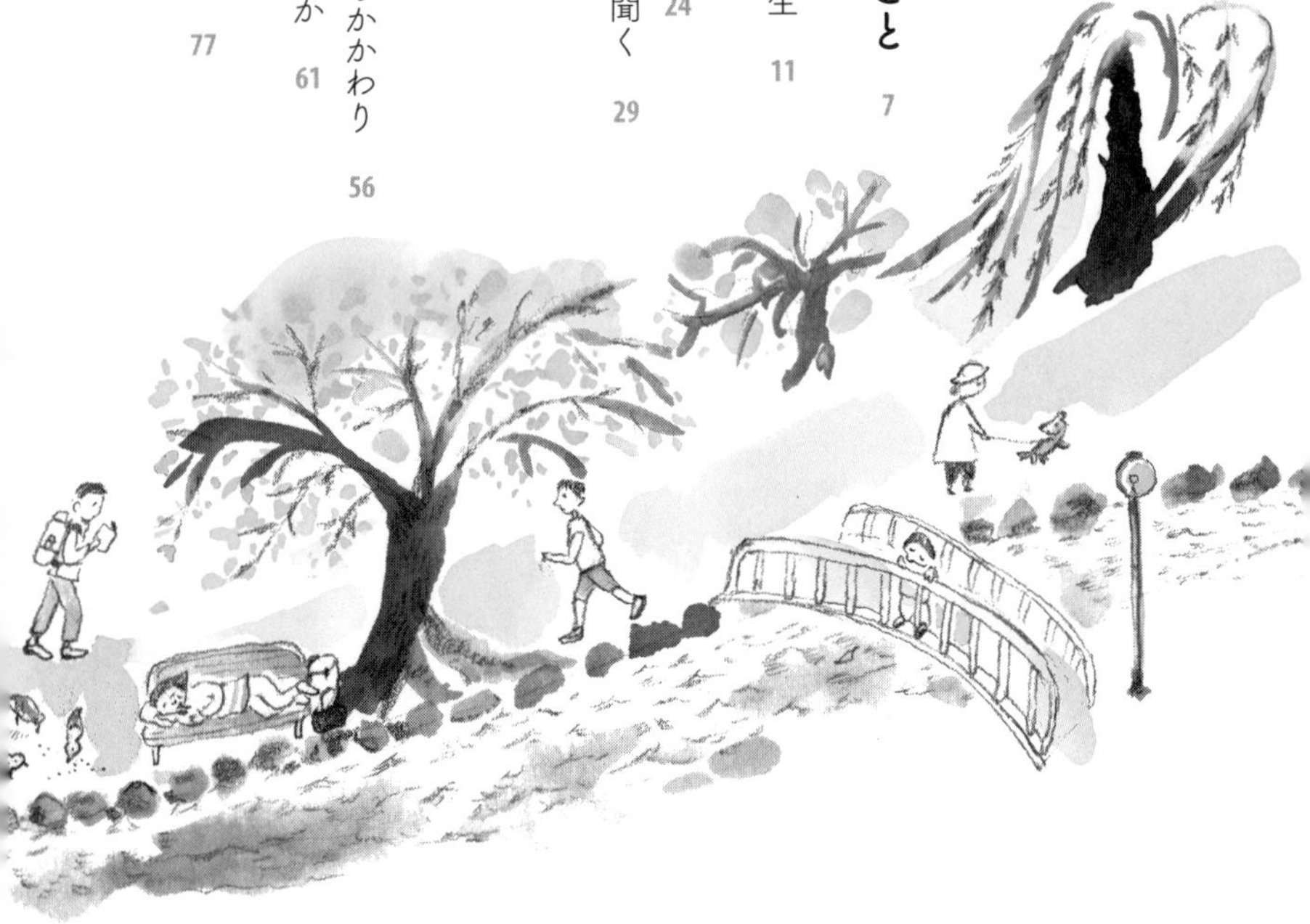

第4回 いのちと価値のあいだ 115

おわりに 150

参加者の紹介

絵：のぶきさん

最首さんと10代のみなさんとの対話は、２０２２年の10月から２０２３年の４月にかけて、東京都内の某所で４回に分けて行われました。

りこさん　東京近郊の中高一貫校の高校２年生（４月から３年生)。「好きなことは、音楽を聴くことと編み物です」

のぶきさん　東京都内の中学校の３年生。受験を経て、４月から高校１年生に。「好きなことは、絵を描くことと ゲームをすることです」

最首悟さん　横浜市の私鉄沿線の街に、家族と暮らしています。対話をした当時は86歳。「好きなことは、ぼーっとして、『わからない』ということを思うことです」

せんさん　りこさんと同じ学校の高校２年生(４月から３年生)。「好きなことは、走ることです。特に冷たい風を感じながら走ることが好きです！」

第1回

頼り頼られるは
ひとつのこと

「みんな違ってみんないい」って感じで、
みんな違うことをゴールとして
話が終わってしまうところに、
寂しさを感じて。
その先に何かがつながっているんじゃないか
っていう意識があって、それを探したい。
（せん）

最首悟さんの4番めの子どもの星子さんは
ダウン症と重度の知的障害を持ち、
目が見えず、言葉を話さず、
立つこと、歩くこともわずかで
ひとりでは食事も排泄もできません。
最首さんと母親の五十鈴さんがお世話をして、
今日まで家で暮らしてきました。

対話の第1回では、みんなの自己紹介に続き、
46歳になった星子さんの日々や
星子さんと暮らす中で気づいたことについて
最首さんに話していただきました。

編集部　みなさん、この対話の場に来てくださってありがとうございます。今日は初回なので、まず簡単に自己紹介（しょうかい）をお願いします。それから今の気分や最近考えてること、気になってることなど、ひとことずつ教えてもらえますか？

のぶき　じゃあ、どうしようかな。のぶきさんから行きましょうか。

最首　のぶきです。中学3年で、美術部の部長をしています。

のぶき　のぶきさん。

最首　はい。学校の定期テストまで残り1か月を切りまして、これが受験にかかわってくる内申（ないしん）を決めるので、結構あせってます。これから宿題もたくさん出ると思うので、やばいなっていうのが最近の気分です。

りこ　しゃべるのはあんまりうまくないんですけど、よろしくお願いします。

最首　高校2年生の、りこといいます。

りこ　りこさん。

はい。私は中学校の頃（ころ）から今の、中高一貫（いっかん）の学校に通っています。その中で、先生が開いている読書会に参加していて、そこでハンセン病の問題とか、日本の移民難民問題とかを学んできていて、……なんて言うんだろう、人とのかかわりの中で社会をどうつくっていくかということにすごく興味があります。

今の気分は、学園祭が1週間後にあるんですけど、音響係の係長をしていて、うまくできるかなっていう緊張と、この会もすごく緊張していて、いろんな緊張にこう、囲まれて（笑）。がんばらなきゃな、楽しんでいこうっていう思いです。

せん　りこと同じ学校に通う、高校2年のせんです。

最首　せんさん。

せん　はい。ぼくは、今の高校に入る前に一度、別の高校を受験しています。なので今18歳で、ちょうど選挙権が来て、夏の参議院選で投票をしました。

　一度受験勉強をして、高校に受かって、でもその学校のごりごりの学歴主義の中で、なんか自分と合わないなって感じて、学校に行けなくなってしまい、結局1年休んだあとに今の学校に入り直しました。学歴主義から離れて、自分の学びたいことをこの学校で考えようかなって思って。それで、さっきりこが言った読書会にぼくも参加して、いろんな社会問題を知るようになって……。自分は学歴社会の中ではじかれて、苦しんだけれども、ほかの人も家庭の問題や、いろいろなことを抱えている。意外と知らないし、見えないけど、同世代の人がいろいろ抱えているって気づき始めてから、社会の問題を知っていく意義をさらに感じるようにもなったし、そういう問題に関して自分が何かできないかなっていうふうにも考え始めました。

先日、陸上部の駅伝に出ることが決まって、その練習で7キロ、何も準備してない状態で走ったら、だいぶ体がボロボロになってしまって。ここ2、3日ちょっと歩くと膝とか、もうあらゆるところに爆弾を抱えてる感じで（笑）。近くに接骨院があるので行こうかなと思っています。そんな感じです。

編集部　ありがとうございます。じゃあ、最後に最首さん、お願いします。

「3人の自分」と星子さんの誕生

ひどいぜん息だった子ども時代

最首　最首です。86歳になりました。太平洋戦争が始まる前、1936年の生まれです。

私は子どもの頃、ひどい小児ぜん息でした。小学校5年あたりがいちばんきつくてね、5年生の2学期から3年半、学校を休んでしまった。

当時、ぜん息の薬はアドレナリンとエフェドリンという2つがありました。私は小学校4年から、発作が起きるとアドレナリンを自分で注射していて、注射したら真っ青になるから「幽霊」なんて呼ばれていてね。戦後の物資不足の頃で、一度使った注射器の針をやすりでけずって使うんですが、何度もけずってると、もう、なめらかになんかならない。それで、腕の打てるところはみんな打ってしまって、腕がボコボコに穴だらけになっちゃうんです。そんな状態がずっと続いていました。

1949年、13歳の時に父親が結核で亡くなります。ひどい食料危機の頃です。私は長男で、子どもも6人に母親ひとり。そこで私については、知り合いの茶道の先生に将来のことを託されたんです。その家では、私を跡とりにしようということで、私は高校1年の頃にはもう準師範になって、18とか20歳とかの娘さんたちを教えてたの。ところが、そこにプレドニゾロンっていう新しい薬が出て、ぜん息の発作が止まった。それでもう、世の中で普通に生きていけるはずだ、このお茶の世界から逃れるにはどうしたらいいんだろうって思ってね。逃れたいっていってもそれまでの義理があるからねえ。で、「東大に入ったら理由になるかな」と考えて、受験をしました。ところが一次試験で落ちた。おっちょこちょいで、解答欄をまちがえた（笑）。それで一浪して、東大に入りました。それでお茶とは切れました。

3人の自分

最首　ぜん息にかかっていた頃はね、「もういいや」って思ってました。生きていくことに対してね。

その頃、同じ夢をずいぶん繰り返し見ました。もう戦争中から見続けていた夢なんですけども。井戸の中の壁を何かが這いあがっていく。私自身はどこにいるかっていうと、よくわからない。「もういいや」と思ってるのに、何かがこう、じりじりじりじり、井戸の壁を這いあがっていく。そういう夢。

その「何か」っていうのは、やっぱり自分のようなんです。だけど、自分はそばでそれを見ている。その頃から「自分」ということの問題が出てきていたんです。その夢は、「俺のいのちが這いあがってる」みたいな感じではあるんだけど、果たして「いのち」は自分のものなのかっていう問題がね、そこにはあるでしょう?

「もういいよ」って思うのに、いのちは這いあがって、生きようとしている。そういう夢を見続けて、日々のぜん息の苦しさとか、いろんなことの中でね、「自分」っていうものを自分自身が冷ややかに見つめているような意識があったんです。しかもさらにもうひとつ、その全体を見ている自分っていうのもいた。懸命に生きようとする自分と、その自分を冷ややかに見ている自分と、その2つの自分をさらに見ている自分と、3人の自分がいる。そんな状態がずっと続いていました。

大学を卒業して、まあいろいろあって、30を過ぎた頃から大学で助手という、通常は3年で終わるはずのポストを、58歳まで27年間務めました。その10年めくらいの頃に星子（せいこ）という4番めの子が、ダウン症（しょう）として生まれたんです。

星子は、最初はね、言葉が出るのも遅（おそ）かったけど、なんとか少しずつしゃべるようになって、歩いてもいたんです。小学校にも、2年遅（おく）れでしたが普通学級に入ったんですけれども、その最初の春に白内障が見つかって、目の手術をしたところが、2、3か月たつうちに目がまったく見えなくなってしまった。さらに1か月ぐらいで、言葉がなくなってきて、歩くことをしなくなった。それまでは結構歩いていたんですけどね。なぜ目が見えなくなり、言葉をなくしてしまったのか、わからないままです。

自他未分の世界と「通態（つうたい）」

最首　星子が生まれたあと、まず水俣（みなまた）病の調査団（132ページ参照）に参加し始めるということがありました。それから、大学の助手だけでは暮らせなくてね、予備校の生物の教師になった。さらにもうひとつ、『子どもの館』っていう福音館（ふくいんかん）書店の雑誌で、子どもの本の覆面（ふくめん）書評の連載（れんさい）を引き受けました。
子どもの本の世界で知ったことでは、いちばんは「自他未分」という世界。つまり、生まれてからしばらくのあいだの、自分と他人が分かれていない世界です。現代の一般的な考え方ではそれが2歳、3歳ぐらいで自他分離して、「自分」になるという。でも、それに対する問いが、その頃からあってね。私は、遠い昔の人々がともに生きていた世界は、自他未分の世界だったんじゃないかと思う。で、日本にはその世界が生き続けているんじゃないか、って考えているんです。

もうひとつ私が影響を被ったのは、オギュスタン・ベルクというフランスの地理学者が言いだした「通態」という考えです。

ベルクは１９６９年に初めて日本にやってきて、10年近くいましたかね。フランスに帰って立て続けに日本の空間論、そして風土論を出版します。それはもう革命的でね。『風土の日本』（原題は『野生と人為——自然を前にした日本人』）という本で「通態」っていう概念を出してくるんです。難しい言葉のようですが、要するに「つながっている」ということ。……ちなみに「風土」というのは、これもひとつことではなかなか言えないですが、つまり自然が、人間と切れた客観的な自然ではなくて、それを体験し、その中に暮らす人間の生活や心と混ざりあっている。そういうふうに自然環境を捉える見方です。

ベルクはこの本で、「３公理」ということを言った。

1つめは、「風土において、自然と文化は通じている」。ヨーロッパでは、自然と文化は歴然と切れているんです。でもオギュスタン・ベルクは日本に来た時に、日本では自然と文化が分かれずに一体となっていると見て、とても驚いたんですね。

2つめは、「風土において、主観（＝物事を捉える人間の心の側）と客観（＝捉えられる対象の側）は通じている」。主観と客観をはっきり分ける考え方ができたのは、やはり17世紀のヨーロッパだと思いますが、日本にある風土という見方では、これらが通じている、と。

で、3つめが、私とみんな。風土をどういうふうに捉えているかは個人的でもあり、皆が共有しているものでもある。「風土において、個人と集団は通じている」と言うんですね。

さらに、これらはみな通じあっている。たとえば「主観」は客観とも、自然とも、集団とも通じている。つまり「通じている」ことが日本の風土の特徴だと。

ベルクが最初に来日した当時、日本はもう経済が復興してきていてね（日本は1955年頃から高度経済成長が始まり、68年にはGNP＝国民総生産がアメリカに次いで世界第2位となった）、日本は世界に冠たる産業国家である、近代国家であることは認めると。だけど、

日本の近代は西欧の近代とはまったく違う。そのひとつが風土に基づいた「通態」というあり方で、すべてが通じあっていることだ、というわけです。

私は、この考え方の影響もだいぶ被りました。

「問学」を始める

最首　で、助手をとうとう辞める時に、「問学宣言」というのをやりました。普通、教授が退職する時に「最終講義」をやりますが、そのパロディとしてね（笑）。

問学は「学問」をひっくりかえした形の言葉です。私は「なぜなぜ坊や」でね、常に問いはある。答えはいつもとりあえずの仮の状態のもので、問いのみが常にある。そういう枠組みでの思考を「問学」として、これからやっていこう、と。

問学は「わからない」ということを基本にします。人間は、究極的には何ごともわからないのだろう。そこをゴールとする学問が問学です。普通の学問は、ゴールは「わかった」です。でも、私にとってのゴールは「わからない」。

編集部　わかったつもりでいるところからスタートして、「わからない」に至る。そんな感じでしょうか。

最首　そう。わかったつもりでも、その「わかったつもり」をちょっと反芻してみると、必ずわからないところがある。そこをさらに考えていって、「わからない」がどんどん増えていくわけですね。

人の単位はひとりではなく、最低ふたり

最首　それで、この頃から「人間」っていうことが気になりはじめてね。あたりまえのように「人間」って言うけれど、これ、「人のあいだ」ですよね。どうしてそんなふうに言うんだろう？　と。

たとえば、「人間到る処青山あり」と言います。青山とは骨を埋めるところ、墓場です。「人の世はどこにでも、骨を埋める場所はある」、だから広い世の中に出てみるべきだっていう意味なんですが、この「人間」はもとは「じんかん」と読んで、「人と人のあいだ」、つまり人が互いに関係しあっている場所のことなんですね。ということは、私たちは「人間」と言う時に無意識に「場」ということを言っている。場に、いろいろな事物や人がいて、つながっているという感じなのね。

そして、人間がそういう関係の場なのだとすると、人の単位はひとりではなく、最低ふたりなんじゃないか。あらゆる関係性の起点としてね。まず私があるのではなく、まず「あなた」との関係があって、その中で「私」ができていく。

そのことを私は「二者性」と呼んで、ここのところずっと考えています。これは改めてお話しします。こういうこともみな星子といることから、そして水俣にかかわったことから出てきたんですが、……うーん、さしあたり、自己紹介はここまでにしましょうか（笑）。

みんな　（笑）

編集部　ありがとうございました。

星子さんとの暮らし

音楽が主食

最首　今はね、星子と奥さん（＝最首さんの配偶者で、星子さんの母親の五十鈴さん）と私の3人暮らしで、私は洗濯したり、食事の準備や片づけをしたり。毎日って、本当に繰り返しの連続です。ごはん作って食器を出して、食べたら食器を洗って、またしまって、また出して。洗濯して、一生懸命しわをのばしてたたんで、しまって、しまったかと思うともう洗濯物になっちゃって、洗濯してまた干して。毎日はその繰り返し。

星子の状態はもうずっと変わりがありません。しゃべらないし、目は見えず、排泄の処理も自分ではできません。ごはんは毎日2食、食べさせてもらってる。丸飲みするので、母親が全部細かく刻んで食べさせてます。歯はあるんですよ。でも噛まないんです。どうして噛まないんだろうね。わからない。で、毎日毎日変わらない、おじやみたいなものを母親が作ってます。手を替え品を替え……といっても全部おじやなんですけどね。勝手に1日2食って決めて。これがいいんだって言ってね。

編集部　排泄のお世話は最首さんと五十鈴さんが。

最首　星子の介護は母親の持ち分です。それは厳然としてそうなんです。譲らない。

立ったり歩いたりはしません。歩けないわけじゃないけども、歩かせようとすると座りこんじゃう。寝ているところからこたつまでは自分で移動してきます。

編集部　伝わり歩きって感じですか？

最首　肝心なところは触って歩きます。ルーティーンの通路はきれいに覚えてますね。目は見えないけど、感触や感覚で覚えてる。段差も平気で。

こたつにもぐってるのが好きでね。そして音楽が好きなので、音楽を四六時中鳴らしてます。これも困っちゃってね。もう何を聴かせたらいいかわからないから、以前はCDチェンジャーにいろんなジャンルの曲をうんとこさ入れて、シャッフルしてかけてたんだけど、機械が壊れちゃったので、今はインターネットの音楽をかけっぱなしにしています。星子もそれでがまんしてくれてる。

編集部　がまんしてくれてる。そのへんはわかるんですか？　こう、これは好きだなとか、嫌いだなとか。

最首　うーん、なんか感じはありますね。でも今はもうそんなに好き嫌いはないかな。前のようにスピーカーにしがみついて聴くっていうこともなくなってきた。前はね、知り合いのおじさんが「なぜ中島みゆきを聴かせないんだ」って怒ってね、持ってきたから聴かせたら、まーあ、聴くこと。「生きていてもいいですか」なんて、一生懸命聴いてるんだよ。

みんな　（笑）

最首　びっくりしちゃってね。一時期は中島みゆきをかなり揃えて聴かせてました。もうね、スピーカーにくっついて聴きます。音響マニアの知人がすごく高いスピーカーを持ってきてくれて、「これは裸で聴かなきゃいけない」って言うので、カバーを外してコーン（＝音を発生させる円錐形の振動板）を剝き出しにして聴かせていたらね、星子、それをなめて、舌で聴くんだよ。なめてたら壊れてしまいましたが(笑)。

本当に、音楽のみで生きてる。音楽が主食みたいなものですね。

星子はよくしゃべってるように感じるんです。「あ」と「が」のあいだみたいな音を結構出す。「あ」に点々つけた字のような、あんな感じの音。

あとね、寝てる時に「うふふ」って笑うんですよ。これがね、幸せそうなの。こっちも幸せになります。「うふふ」って、何を夢見ているんだろうねって、親同士で話すんですけどね。「うふふ」っていう笑い声を出しますね。

それと、朝起きて、こたつにもぐって「がーがー」って言う。もうおかしくてしょうがないっていうような笑いを、「が」と「あ」の混ざったような音で表現するのね。どんなことを思っているんだろうなあと思うんですけれど、わからない。

星子のことはわからないことだらけでね。わかると思う時もあるし、日常の暮しではわかったと思わないとやっていけないところもあるんだけど、基本的にはわからないんです。

寝そべっているのも労働のうち

編集部　星子さんは、五十鈴さんや最首さんのことはわかっているのでしょうか。

最首　うーん……。母親に対してはね、おむつを替えたあとにいつも、つねるのよ。私にはつねるっていうことはない。で、母親は悲鳴を上げて、「どうしてつねるのよ！」ってはたくんだけど、そうするとまたおもしろくなっちゃってね。つまり、ゲームになってる。楽しみのひとつなんだよね。母親とのそういうやりとりはありますね。

週2回はカプカプに行きます。カプカプっていうのは知的障害者などの作業所で、「寝そべってるのも労働のうち」という約束があって、星子は寝そべってるだけなんだけれども、それで賃金をもらってきます。ひと月に千何百円かくらい。

小学校はいちおう普通学級に行きました。そんなに多くは行っていないんですが、行っているかぎりはみんな面倒見てくれて、かわいがってくれてたね。で、卒業したあと2年置いて、中学、高校と養護学校に行ったんですが、そのあとどこを星子の居場所にするかが問題になった。そういう事情もあって、星子のような重度の障害者も行ける場所としてカプカプを、私も加わってみんなでつくったんです。「FHS」、フリーアンドホットスペースって名づけてね。街中で公団住宅を借りて、障害者がサービスをする喫茶店を始めた。そういうものの先駆のひとつですね。

星子がカプカプに行き始めてもう25年になります。ともかく行けば、寝そべっていてもそれが労働だ、そこにいることが仕事だということで賃金をもらうんです。

頼り頼られるはひとつのこと

あなたを立てる

最首　星子との暮らしでわかったのはね、「頼り頼られるはひとつのこと」っていうこと。「自立」とか「依存」という概念を使わない。人は必ず、頼り、頼られている。

で、私たちの実感としては、私たちが星子に頼ってるんですね。星子が私たちに頼ってるかどうかは、「頼っているらしい」としか言えない。そこはやはりわからないんですが、私たちは星子におそらく頼られながら、星子を頼りにしている。「星子がいての生活だよね」って、奥さんは言う。本当にそうなんですね。星子に、あるいは星子がいることでほかのいろんな人に頼り、頼られながら、昨日と変わりがあろうはずもない今日という日が過ぎていく。あっという間に1日が終わり、1日1日が終わっていく。そういう、星子あっての生活っていうことが我が家にはあります。

で、頼る相手の条件っていうのはなんだろうと思って、言語化してみるとね、自分にないものを持っている人を、私たちは立てて生きるんじゃないか。そうしてその人に頼るんじゃないか。

自分にあるものは限られてますから、「自分にないもの」って、もう無限です。短所と言われるものでも、障害と言われるものでも、自分が持ってなければ、それは相手を立てる理由になる。たとえば星子は「目が見えない」っていうことや、「しゃべらない」っていうことを持っています。どんな人でも、どんな動物でも、私にないものを持っている。それを、こう、すごいこととして、そういう存在に頼る。それをきずなとして生きるということがあると思うのです。

「立てる」っていうのはね……。人を先に行かせることを「先に立てる」って言うでしょ。つまり順序としては先に立てて、そして、風よけにするんです。「星子がいるからやれません」「星子がいるから行けません」とかって、いろんなことの理由にしたりね。私たちは星子を盾(たて)にして生きている。つまり、「あなたを立てる」の「立てる」は、「盾と矛(ほこ)」の盾の「盾る」でもあるんです。「盾」に「る」を付けるのはちょっとおかしいかもしれませんけどね。

責任は引きずっていくもの

最首　「人のせいにする」ということのお話もあります。

星子がまだ小さな頃の話ですが、孫たちが来て遊んでいて、何かしておばあさんに怒られる。「誰(だれ)がやったの!?」ってどなられてね、「星ちゃん！」って言うんだよ。つまり、星子のせいにするの。これがおもしろくてね。星子に何かできるわけがないとはみんなわかっているんだけど、そうやって星子のせいにすることで、星子との親近感を増しているというかね。自分たちの責任を星子になすりつけるような身ぶりをして、星子との距離(きょり)を縮めているんですよね。「人のせいにする」っていうのはそんなふうに、その人との関係を深める方法にもなるんだなと思ってね。

私たち夫婦は今、星子と3人暮らしなんだけど、どっちかが何かして相手に怒られて、「誰の責任か」みたいな話になると、お互いに「星子！」って言うんです。星子のせいにする。星子がやるわけないのに「星子がやった」って言う。そういう関係のつくり方もあるわけです。

……「責任をとる」っていったい何をすることとか。もちろん、自分がやったことで生じた損害とか、影響に対して、できること、しなければいけないことはあります。たとえば事故の賠償(ばいしょう)とか弁償とかに始まってね。でも、一度やってしまったことは完全に戻すことはできない。とりきれない責任が常に残る。人の人生や生き死ににかかわることなんて、その最たるものでね。責任は終わらないんです。

そういう、とりきれない責任に対しては、日本では最後には職を辞する、あるいは昔だったら命を絶つってことになってて、今でもその道を選んでしまう人もいるけれども、それで本当に相手のためになるのか。そんなことをして何になるんでしょう。そういう責任はもう、肩にのせて、肩に重石をのせているように、そしてその重石がだんだん大きくなっていくような形で、人生を送っていくしかない。

私が大学で教えていた頃にかかわった学生がね、医学部を卒業して、インターンで担当した赤ん坊が３人立て続けに亡くなってしまったんです。それで、「私、もうだめです」って言うわけ。「私の責任です」、もうこれ以上やれませんって。私は「医者がそれで辞めたら、医者がいなくなっちゃうぞ」って言ってね。医者というのはみんなそういうことを背負って、責任を肩にのっけて、その重みで前へ前へと押しやられて進んでいる。医者は辞めることができないんだっていう話をしました。

大学を出てインターンに行って、自分の受け持ちの赤ん坊が３人亡くなるっていうのは、それはショックですよ。辞めたくなる気持ちも本当にわかるけども、辞めてどうするっていうことがある。責任はあるけれども、職を辞めることで終わりに

コラム

「聴す」＝心をひらいて聞く

休憩時間が終わる頃、最首さんがみんなに突然、『聴す』と書いてどう読むか、わかりますか?」と問いかけました。

最首　これは「ゆるす」と読みます。「ゆるす」は「ゆるい」や「ゆるゆる」と元は同じらしいんですが、「聴す」と書いて「心をひらいて聞く」意味合いがあるんです。

普通は、相手に注意を集中させて熱心に聞くことがよしとされますよね。でも「聴す」の聞き方はそうではなくて、ぼーっと聞く。心をひらいてぼーっと聞いていると、相手もしゃべってるうちにリラックスしてきて、心をひらく。そこから、相手のことを受け入れる、いいよって言う、「許す」の意味にもつながるわけです。

私、これはなんだかすごいなあと思ってね。人の話を聞く時に、ぼーっと聞いてるだけでいいんだって。そして、これはケアにおいても非常に大事なことなんですね。

大切なのは、緊張の反対の「弛緩」っていうこと。人間関係で、お互いがお互いに対して「居る」だけで、ゆるむことがあるでしょう。体がゆるみ、心がゆるんでくる。そういうあり方のひとつを、この「聴す」という言葉が表しているんじゃないか。

編集部　なるほど。確かに、誰かとただ一緒にいるだけで、助けられるっていうか、心がゆるむことってありますね。

最首　ありますよね。それは、お互いがお互いを聴しあう関係にある。それもまた「頼り、頼られる」ということです。

一方、「依存」はそれとは違う。べたっとよりかかって、「私」がなくなってしまう。それは、「聴す」「ゆるむ」っていう、心をほどきあう関係とは違うと思うんですね。

することはできない。責任は引きずっていくのみなんです。

自分の輪郭を描かなければいけない

最首　「私」っていうことでいうと、かつて「自分探し」っていう言い方が流行ったけれども、今、きみたちは「自分探し」って言葉は使わない？　使います？

のぶき　「自分探しの旅に出る」とか、そういう言葉は聞いたことがあるんですけど、使うことは私自身はほとんどないです。

最首　「自分を探す」っていう感覚はありますか？　「自分のやりたいことはなんだろう」とか、「自分ってどういう人だろう」、あるいは「自分はどういうふうに生きていったらいいんだろう」とか。

のぶき　そういうことを考えることはたまにあります。友だちもそういうことを考えてることがあって、で、たまに話して、お互いの感じてることを伝えあって、答えは見つからないんですけど、そういう情報を共有しあって、「あ、そうなんだ」みたいな感じで話すことはあります。

最首　りこさんとせんさんはどうですか？

りこ　探して見つかるっていうよりは、「自分をつくっていく」っていうほうが、

感覚としては近いのかなって思います。今いる自分でどう前に進んでいくのか、とか……。

ぼくは、探したから見つかるものではないけれども、なんかこう、ぱっと時間ができた時に「自分探し」をやってしまう、みたいな感覚があります。

何かをしていて忙しい時は「自分」を探す余裕なんてないし、まわりから教えてもらえる面もある。でも自分ひとりの時間になると、「自分」がどうしてもわからないっていう状態に気づいて、探し始めてしまう。「自分ってなんだろう」とか考え始めてしまう。ただ、それは見つかるものではないっていう感覚はずっとある。

ぼくの通っている高校では、割と、自分の興味の対象を探している人とか、卒業してから探す人が多いんですけど、社会一般的にどうかっていうと、自分を社会から切り離して「やりたいことを探す」というよりは、社会に溶けこんでいこうとする、自分の溶けこめそうなルートを探して、そこに入っていこうとするっていう感覚のほうが、多数派としてあるんじゃないかなと思います。「自分探しをしてます」と堂々と言える人は少なくなってる気がする。

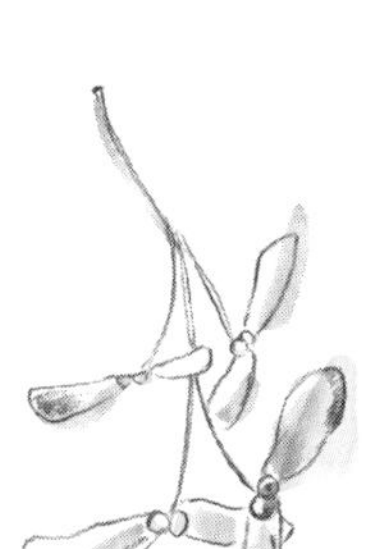

編集部　なるほど。まず社会があって、その中に、自分がなんとなく溶けこめそうなポジションを探っていって、そこに入るみたいな感覚かしら。

せん　そうですね。

最首　「順応」とは違うんでしょうか。社会に順応するっていうこと？

せん　ぼく自身の感覚としては、順応したくはないけれども、もう時間が迫っている、みたいな。リミットまでの時間が、どんどん短くなっていって、いわゆる進路、自分の進む道を決めなきゃいけない。自分の輪郭を自分で引いていかなきゃいけない、嫌だけど、みたいな。そういう感覚が今、強くあって。

少し背伸びをして、今までやってきたことの外側に「自分」の輪郭線を引いて、それに向かってがんばるのか、それとも内側に引いて、今の自分の続きとしてやっていくのか、みたいな……。

編集部　今、「嫌だけど」って言ったけれど、嫌だから自分の輪郭を描くのなんてやめよう、というふうにはなかなか思わないんでしょうか。

せん　輪郭を描くのをやめるっていうことは、自分にとっては立ち止まるっていうことで、その立ち止まる恐怖みたいなものを、自分はすでに1回味わっている。受験をして、高校に入って、通えなくなって、そこで輪郭を描くのを1回やめてしまった。立ち止まってしまって、そこからこう、体も心も動かないっていう状態がしばらく続いたんです。だから、また立ち止まるっていうことに対するトラウマみたいなものからの恐れが、たぶんある。

社会と世間の違い

最首　……そうですね。やっぱり「社会」の話なのだと思いますが、私は社会はよくわからなくて、「世間」のほうがわかる。「世のあいだ」のほうが。「仲間」ってのも「あいだ」ですけどね。そういう「あいだ」には溶けこむ隙はあるだろうと思う。一方で、社会っていうのは非常に固いんですよね。自分がしっかりしないとやっていけないようなイメージ。自分が柔だと社会の中でつぶされちゃう。で、つぶされないために、「社会なんて知らないよ」って、私はそっぽを向いている（笑）。

「社会」と「世間」は違うんです。「世間」っていうのは、みんなそれぞれが「いる」っていうだけでもう世間なんですよ。同時に、よくも悪くもそれぞれが溶けこむ「場」なんですね。でも、「社会」っていうのは場とは言えなくて、むしろ機械のような、構築物のようなもの。エンジンがあって、制御者がいて、理念とか目的地とかに向かって走っている。私にはそういうイメージですね。

みなさんは、「社会」ってどういうイメージでしょう?

りこ　今、最首さんのお話を聴いてて思ったのは、……私は今まで、それぞれの人が自分の思うように生きていくということは、「社会」というものを通してじゃないとできないんじゃないか、って思っていたんです。社会の制度をつくったり変えたりすることによってしか、変えられないことがあるから。だから社会について考える必要があるんだと思って、これまで学んできたんです。でも、最首さんの言う「あなたがいて、私がいて、それでいい」っていう、そういう「場」がある。そしてそれを出発点として、なんて言うんだろう、平和なものをつくっていくこともできるのかなって。そこに可能性は絶対あるはずだっていうふうにも感じて……。

編集部　なるほど。でも、自分のあり方を社会や制度によって決められてしまっているところは、確実にありますね。

最首　ジョン・ロック（＝17世紀後半のイギリスの思想家。人民主権や社会契約説を説き、のちの市民革命に影響を与えた）に『市民政府論』という本がありますが（『統治二論』『市民政府二論』などともいう）、その中で「社会」ということが問題になります。

ロックの考え方ではね、たとえ話をすると、人が成人する時に質問をする。「あなたは今の政府を支持しますか?」答えは2つ。支持するか、支持しないかのどちらかで、「わかりません」では成人とは認めない。「支持する」と答えると、「あなたは常に、今の政府のチューニングに努めなければいけない」と。自動車のエンジンをチューニングするように、政府もOrgan、機関であって、絶えずチューニングが必要だということです。だから、何か問題があると思ったらすぐ、政府にもの申さなければいけないわけ。

一方「支持しない」と答えると、「あなたは革命を起こして政府を倒さなければいけない」。その義務が生ずると言う。で、成人するとはそういう、チューニングをするとか倒すとかっていう「義務の発生」なのだと言うのです。

だから、西欧近代の「市民」っていうのは非常に政治的な存在であり、常に緊張していなければいけないんですね。ほっとくとすぐ国家権力が支配しようとしてきて、自由を奪われてしまうし、そうしたら「政府を倒す」なんてことになるからね。「なんとかなるさ」なんて言ってほんわか生きてるようなのは、立派な成人とは言えないわけです(笑)。

でも、日本の私たちは政治にあまり関心のない人が多くて、選挙だってなかなか行かない。そんな状態で「社会にかかわる」っていうのはいったいどういうことかと思うと、だいたいは「仕事で」という答えになる。でも、それは「社会にかかわる」ということなのか。「世間にかかわっている」とは言えるかもしれませんけれど。

「みんな違う」で話が終わることの寂しさ

編集部　時間がだいぶ過ぎてしまいました。最後に、今日のお話で感じたことなど、ひとことずつお願いします。

最首　今日はごめんなさい。自己紹介ってのがいけなかった(笑)。長くなっちゃって、申し訳ないと思います。次回はもっとみなさんのお話を聴かせてください。

せん　……中学の頃の友人に、「私とあなたの共通する何かを探しているんだ」って唐突に投げかけたことがあって。それぞれ別の高校に入って、まったく違う環境になってから、「自分は今、自分と違う環境にいる他者と自分との共通点を探している。だから、あなたの話が聴きたい」っていうふうに問いかけたんです。その時は「どうしてそんな面倒なことをわざわざするんだ」と言われたんですけど、その答えが何か、ここでのお話にあった気がして。

私とあなたがいる。そうするともうそこに場があり、つながりがあるはずで、それを言葉で明らかにしたい、っていう自分の思いがあったのかなって。もう、「人がいる」っていう時点で、つながりができていて、それを、こう、自然と探している。

私とあなたのあいだに場があって、そこにこう、通じている何かがあるってわかっていたから、それを言葉にしたいって思ったのかもしれない。

編集部　わかっているから、確かめたかった。言語化して、ちゃんと見たかった。

せん　っていうのが、たぶん、ありました。

編集部　そもそもなぜ、その友だちにそういうことを聞いてみたいって思ったんでしょう。

せん　……えっと、今の、価値観が多様化している中で、「みんな違ってみんないい」って感じで、みんな違うことをゴールとして、こう、話が終わってしまうところに、寂しさを感じて。その先に何かがつながっているんじゃないかっていう意識があって、それを探したい。なんかこう、違うからっていって離れていくのではなくて、違うけれども一緒にいるっていうことができるんじゃないかって。

最首　なるほど。「みんな違ってみんないい」なんてはずはないというか、それを鵜呑みにしていたら、ひとりでいることの寂しさのようなことが出てきてしまうってことですね。その、「寂しさ」っていうのは本当に、わかる気がするな。

編集部　違っていても、でも何か通じるところがあるんじゃないかって思った。

せん　それは、あなたと私のあいだに、もう場ができているから。そこに何か、ひとつの答えのようなものがあった気がする。

……でも、人間関係が「あなた」と「私」の二者から始まっているっていうことは、ぼくにはやっぱり、結構新しい感覚で、まだ自分の中に入りこんできていない。「私あってのあなた」っていう感覚が自分のどこかにある。だから、これからこの場で咀嚼（そしゃく）していけたらいいなと。もっと考えてみようと思います。

「先に関係がある」ことへの反発

りこ　私は最初、始まる時は、どんな話をするんだろうと思って、ものすごく緊張していて。だけど、最首さんのお話の中で、「それって本当なのかな?」とか「なぜ?」というような言葉がたくさん出てきて、「問いを持つ、持ちつづける」っていうことを、苦しいことではなく良いものとして、私は受けとることができた。それがすごくよかったなって思いました。

それから、自分が日頃、あまり意識はしなくても感じていることが、今日のお話を聴きながら整理がついていくような感覚がありました。

「あなた」と「私」のお話で、相手との関係の中で「私」ができていくっていうことは、日常の出来事でもすごくそうだなって思うことがあって。たとえば授業で議論をしていて、クラスメートの発言に対して「それは違う」とか、「そこは私の気づかなかった部分だ」っていうふうな形で、自分の意見が広がっていく感覚がある。先に他者の意見があって、それに応えていく形で自分の意見ができていくような感覚が、日常の中にあります。だからものすごく共感できたんです。

だけど同時に、「先に関係がある」っていうことを聞いた時に、ちょっと「え、なんで?」って反発したくなるような感覚もある気がして……。「苦労してこの自分をつくりあげてきたのに」っていう思いがあって「相手の存在があって初めて『私』があるんだよ」という言葉を素直に受けとれない、というような。

だけど、そこで、自分をつくってくれている相手への感謝を持ちつづけたいなとは思う。相手への尊敬とか感謝を忘れずにいたいなとは思いました。

今日は、自分の中でも問いがもうすごくたくさん生まれたし、だから、すごくよかったなって思います。

最首　その、自分の中に生まれた問いっていうのを次回ぜひ聴かせてください。

りこ　はい。

のぶき　私は、最首さんが星子さんのことをとても楽しそうに話されてるのが印象に残って。私だったら流してしまいそうな、星子さんが寝ている時にすごく楽しそうに笑っているのを見て、「どういう夢を見ているのかな」って考えてるっていうお話とか、そういうお話を聴いて、小さな幸せをすごく大事にされてるんだなっていうことが、とても印象に残りました。

最首　なんかね、苦労してないんですよ（笑）。ありがとうございます。

編集部　後半、みなさんのお話をもっとたくさん聴きたいなと思いました。また次回ぜひお願いします。今日は長い時間ありがとうございました。

みんな　ありがとうございました。

「人はひとりで生きられない弱さを
持っているからこそ、どうしようもなく、
場をつくろうとするんだ」っていうところに、
自分の実感がマッチした感覚があって。……
出発点として「弱さ」があるってことは
素敵なことなのかなって思った。
（りこ）

第2回 私の弱さと能力主義

2016年、神奈川県の
知的障害者施設「津久井やまゆり園」で
入所者など45名の殺傷事件が起きました。
最首さんは、植松聖被告から手紙をもらい、
以後ずっと、彼を「植松青年」と呼んで
手紙を書き続けています。

第2回は、弱さ／強さということ、
人の能力とそれを評価するということ、
植松青年や「脳死」の考え方などについて
みんなで考えていきました。

編集部　今日も来てくださって、ありがとうございます。前回から2か月近くたって、だいぶ寒くなってきましたね。……今日は星子さんのお話の続きから、津久井やまゆり園事件のお話も聴かせていただきたいと思います。よろしくお願いします。

「弱さ」と能力

「頼る」ことがいちばんの根本

最首　星子が生まれて変わったこと、教えられることは本当にいろいろあってね。話しきれないんですが、今日はまず2つ、お話をしたい。

星子みたいな存在は「赤ん坊のようだ」とか「天真爛漫」「無邪気」とか言われがちですが、それはどうだろう？　とはいつも思うんですね。

ただ、星子は、自分で意識してるかどうかは別として、まったく自明のこととしていることがあると思う。それは、信頼。人との関係を信頼するっていう点は、星子はやっぱり持っているんじゃないか、って。あたりまえのこととしての信頼。星子は「人に頼っている」っていうことを引け目とは思ってないんじゃないか。そこは天真爛漫に人を頼ってるというか、人間の本性として、「人を頼る」っていうことを、ちゃんとひらいている。この「信頼」ということがひとつめのことです。

私たちは人に頼ることなしには生きられません。なのに、人に頼ってることをごまかそうとするわけね。「人に頼ってなんかいないわよ」とかなんとか言う。近代の社会というのは基本的にそういうふうに、自立した個人というのを仮定して、いろんな制度をつくって成り立っているんだけど、私たちのいちばんの根本はやっぱり「人に頼る」ということ。あるいは、「人に」なんてくっつけなくて、ただ「頼る」っていうことがいちばん根本なんじゃないか。

津久井やまゆり園事件（57ページ参照）の植松青年は、1時間ほどのあいだに45人殺傷しました。それで「極悪非道だ」って言われるけども、やっぱり植松青年にも、「信頼」っていうもの、関係への信頼、人への信頼がもともとはあるはずなんです。それがどのくらい、生きる身についてくるかどうかであって。社会的な状況やいろんなことが自分に襲いかかってくる、その結果として殺人を起こしてしまったけれども……。これから植松青年のことをお話ししますが、私の考えはそういうことが元になっています。

つまりね、私たちには、人と限らずすべてに対する「信頼する」ということが、いのちの根本にあるんじゃないかと思うの。で、星子はその根本が隠れていなくて、もろにあらわれてるような感じがする。……たとえばね、星子のような存在が「植木鉢の花」って形容されることがあるんですよ。誰にも世話されなかったら、星子は死ぬんです。でも、星子はそういうことを考えてないんじゃないか。世話されなくて、ほっとかれて、自分は死ぬんじゃないかっていう気持ちが星子にはないと思うのね。そこで、私は星子にかなわないと思うんです。で、だんだんと、私のほうが星子に頼ってるっていう気持ちが起こってくる。

星子が生まれる前、私は「自己」と格闘していました。前回お話ししましたが、当時は常に3人の自分がいるような状態でね。すごく落ち着かなかった。そこにさらに大学闘争（＝1960年代後半を中心に起こった、管理強化をはかる大学側と、大学の自治や自由な学問を求める学生側が対立した闘争）の中で「自己を否定せよ」と言われ、どうやって生きていけばいいのか、私はまったく袋小路に入っていました。闘争では大学の制度や国政が厳しく批判されたんですが、逆に自分たちもまたそういう体制の一部として、それを支えているんじゃないかと問われ、「学生とか教員という、エリートの立場にある自己を否定せよ」とひとりひとりに呼びかけられたんですね。

その後、闘争が収束し、時がたっていく中で、このままでは自分も、自分が否定してきた教授というものに、なし崩し的になっていくんじゃないか、なってしまうんだろうなっていう、そういう時に、星子がぱっと生まれてきたんです。それ以来ずっと「星子があって私が生きてる」っていうふうな感じなのです。

一時はね、「星子なんかいなくても」なんて思う時もあった。1回だけ、実際に言葉に出したこともある。「星子がいなかったら」って。「星子がいなかったらもっと楽だ」とか「違う生活ができる」「旅行ができる」とか、やっぱりいろんな欲望があるでしょう。で、星子の母親も1回言ったことがあって、今、2人で言うんだよね。「1回ずつ言ったよね」って。お互いに1回限りです。今はそういう気持ちはないんですよ。

私が弱いということに気づかせてくれた

最首　星子が気づかせてくれたもうひとつのことは、だから、「弱い」ということです。星子が弱いということじゃなくて、私が弱いということ。星子に頼って生きているってことは、自分は弱いんだな。それに気づかせてくれた。
「弱い」ということは、人間が人間になったことの結果です。人類はたとえば爪も毛も退化し、歯も弱くなって、身ひとつでは生きていけなくなっちゃって、火を使い、道具を使うようになった。そしてそうやって身ひとつで生きなくなったからこそ、さらに弱くなっていき、共同体というのも生まれてくる。

だから「強い」っていうのは、「ひとり」ということに関係がある。弱さはひとりでは耐えられない。弱いから、誰かが必要になるんです。

やっぱり私だって、かつては競争の世界の中で強くなろう、強くなろうとしていた。そしてそういう気持ちがあると、気が荒立って、いらいらしてくる。休まらないんですね。休んだら強くなれないもの。「おむすびころりん」で、ただ寝ていておむすびが転がってきたらいいなと思うけど、あ、私の理想なんですけど(笑)。それじゃあだめだと。やっぱり「強くなって自分で稼がなくちゃ」とか思ってしまう。

星子が生まれるまでは、私は非常につっぱっていた。緊張していた。その緊張が解けちゃった。で、緊張が解けるというのは、やっぱり弱いってことかなと思うんです。文章も好き勝手なことを書くようになったしね。

編集部 そうなんですか。

最首 そうなんですよ。肩ひじ張って書いてないんですよ。苦労はするんですけど、人はどう思うだろうとか、体面とかはあんまり考えてない。だから、「弱い」ことで素直になれた、ということもあります。

自分ひとりで生きていこうっていう気持ちは、「強い」ことなんですよね。

自分の弱さを感じる時

編集部　どうですか、みなさん。自分が「強い」とか「弱い」とか思うことはありますか？　学校などではきっと、やはり「強いほうがいい」っていう考え方が基本的な価値観としてあるんじゃないかと思います。「体育はできたほうがいい」とか「勝つほうがいい」とか、「自己主張が強いほうがいい」とか。一方で「傷ついちゃう」「落ちこんじゃう」とか、自分の弱さを感じることもあるかと思うんですが。

のぶき　……私も、基本的にはやっぱり強いほうがいいって思ってます。社会に出てからも、たぶん強いほうが、幾分か生きやすいのかなと思う。それに、勝負とかに勝つとやっぱりうれしいですし、人よりもすぐれてるっていうのは、やっぱり、優越感みたいなものを感じる。でもだからって、人を蹴落とすのも違うな、みたいな、ちょっと矛盾した考えを持ってます。

一方でもちろん、勝負に負けたり失敗をしたりすると、自分の「弱さ」も強く感じることはあります。そういう時はためこんだりしないで、すぐに友だちに話すようにしていて、そうすると友だちも話してくれて……。そういう会話を日常的にしているので、自分の弱さにも結構折りあいはつけられているのかなと思う。

りこ　なんか、誰かといることで自分の存在意義を感じて、その誰かに寄りかかってしまうというか、その人の存在によって自分が変わってしまうっていう意味で、自分の「弱さ」を感じることがある。

うまくいかないこととかもやもやしていることを誰かに話して、共有したことでなんとかなったように思ってしまうこともあって。そういう悩みも結局は自分自身が動いて乗り越えていかないといけないものなのに、そこで誰かに頼ってしまってる自分の弱さをすごく感じるし、そういう自分が嫌だなって思うことも……。

でも同時に、それぞれが弱さを持ってるからこそ人に頼れる、人と人がつながれるような気もするから、自分の弱さを嫌がるのもなんか違うかな、とも思う。

編集部　人に頼ってしまう弱さがあるからこそ、人とつながることができる。

りこ　そういう面もあるなって思います。

せん　ぼくは、なんだろう……、「若い」ということは、よくも悪くも、自分のことも社会のこともよくわかっていないということだと思っていて、それが、こう、「自分はこれからなんでもできるんじゃないか」「強くなれるんじゃないか」「自分の価値を上げられるんじゃないか」みたいな考えにつながってるのかなと思う。でもそれって、自分ではない他者の存在が、……自分よりももっと価値の高いものが現れた瞬間に、相対的に自分は弱くなるわけで。

編集部　ん？　自分より……？

せん　えっと、自分よりも価値が高くて、優先度の高い存在。たとえばパートナーだったり、最首さんにとっては星子さんだったり。そういう存在が現れた時に、自分の弱さを初めて認識して、その「自分って弱いな」っていう思いとともに生きていくっていう感覚になるのかなと思って。だから、よくも悪くも、若くて「まだいろいろ知らない」ということと、「体が動く」ということが、強くあろうとすることにつながってるのかな。

編集部　なるほど。自分の中に「強くあろうとしてるなー、自分」みたいな感じがあるってことですね。でも、それはすごく自然なことではあるかもしれないですね。

せん　うん。そうなんです。

編集部　力が、使える力があるから……深い問題ですね。ありがとうございます。

よりすぐれたものになろうと思う訓練

最首　私のほうからひとつ聞いていいかい？　みなさんは、小学校、中学校と、少なくとももう9年近くは学校で過ごしてきたわけだよね。それで、「自分がどうあるべきか」ということについて、学校というものが影響していると思いますか？
つまり、学校はやっぱり「より速く、より高く、より強く」という、いわばオリンピックの標語そのままの価値観をみんなに要求してるんじゃないかと私は思うんです。「今のままじゃだめでしょ」って。「50点じゃだめでしょ」とか「もっと速く走れるようにならなきゃ」とかね。それはやはり、**能力主義**です。

能力主義
能力に応じて人を評価し、扱いや待遇を決めること。たとえば日本の学校の入学試験は、ほとんどの場合、能力主義に基づいている。自由な競争を重んじる現代の資本主義社会では、能力主義や成果主義（=成果や業績に応じて報酬や地位を決めること）が強い力を持ちやすい。また近年は、学力や仕事を行う力といった、訓練と経験を積めば一定程度は身につけられる能力だけでなく、コミュニケーション力や協調性、意欲、個性など、態度や人格にかかわるものも能力として測り、評価するものに能力主義が変質してきたとも指摘されている。

みんな学校で、今よりもすぐれた、価値あるものになろうと思う訓練を受けているんじゃないか。そういう価値観や習慣を養ってるんじゃないか。……そんなこと、思うことはない？　そうしていちいち評価される。成績表が「オール1です」と「オール5です」とでは、人の見方も明らかに違う。

編集部　……そういう学校のあり方が、自分の考え方とかあり方に影響してるなって思うことはありますか？　そもそも学校にそういう力を感じますか？

のぶき　点数化されている以上は、ある程度は感じます。

最首　テストが50点だった時と90点だった時とでは、やっぱり気持ちも違うでしょう。「こんなの、関係ないよ」とは思わないでしょう。そういうところはやはり、「50点じゃやだめだ、100点をめざそう」と思うように導かれているんじゃないか。

編集部　りこさんとせんさんの学校は、あまり能力主義的じゃないんですよね。

最首　うん。どうですか。試験はあるの？

せん・りこ　ないです。

最首　すごい！　試験がないんですか。それはすごい。成績の評価は？

りこ　えっと、前期と後期で1回ずつ、自分で振り返って文章を書きます。何を学び、何を得られたのか、どういう態度でとり組めたのかを全教科について書く。それに各教科の教員からメッセージが返ってくるという形で、学びをまとめます。

編集部　ちょっと嘘を書くというか、盛っちゃったりすることもあるんですか？

せん　それをやっても、それをやる自分に対してまた葛藤して。そして、そこが本質ではないということに、書きながら気づいていく。

編集部　なるほどー。そうなんだ。

せん　でも、進学のために必要なので、評価自体はされてるんです。こちらから聞かない限り伝えられることはないんですけど、聞いた時に急にぱっと数字で評価を出されるので、その怖さはあるかなあ。偏差値ではなく5段階評価なんですが。

のぶき　その評価の判断基準っていうのは、どこにあるんですか？

せん　一応、教科によって提出物があって。もちろん出席もかかわってきます。

最首　でもそれは偏差値のような、まわりとの比較による相対評価ではなく、絶対評価（＝他と比べるのではなく、目標にどれだけ到達できたかを評価する方法）なんですね。

せん　その点は念押しされます。「これはほかの生徒と比べての評価じゃない」って、ひとりひとりが言われる。だから、生徒同士で聞きあうこともあんまりない。他人との比較に意味はないっていうことは、ほかの学校よりは強く言われてるかな。

「能力をのばしたい」と思う気持ち

最首　「能力」っていうことではどうですか？　一般の学校ではすべての生徒に同

じ能力を要求するところがあると思う。だけど能力は人によってそれぞれ違う。みなさんは、自分にはこういう能力があって、のばしたいと思うことはある？

りこ　私は中学校からこの学校で、長い時間をかけて、自分は文章を書くことが好きだって思えるようになって、書くことを自分の能力として、人に伝えるすべを手に入れてきたなって実感はある。

先日、学校にいろんな人が来て授業について検討する会があって、私は国語の分科会に参加したんですけど、そこである先生が、「教育というものを、社会にとって良い人材を育てる、将来への投資として捉えるような流れが強まっている中で、ここにいる生徒たち自身がどういう言葉の力をつけていきたいと思っているのかを、改めて問う必要があるんじゃないか」というようなことを言っていた。教員の方々がそういうふうに考えながら授業をつくってくれているということを受けとって、そういうまわりの方々の思いに応える形で、言葉の力を身につけていきたいな、もっと言葉を紡いでいきたいなって思うことはすごくあります。

編集部　単に「能力をのばす」っていうような形じゃなくて、自分は文章を書くことが好きで、やりたいし、まわりの支えもあるし、という中で、それをやりたい、もっと言葉を紡げるようになりたいっていう感覚がある、という感じかしら。

りこ　うん、うん、うん。……その先生は「言葉では表しきれない限界がある」っていうことも言っていて、その上で、どういう力をつけたいのかって……。

最首　先生はきっと言葉についてだいぶ修行して力をつけていて、その上で「言葉では表せない世界がある」と言ってると思うけれど、どう思いますか？　言葉で表せない世界があるということは、言葉の力を養わないとわからないって思う？

りこ　うーん。どうなんだろう。言葉で表すことで切り捨ててしまうことはもちろんあるし、自分の知っている言葉では表せないっていう、自分の力の及ばなさを感じることもある。言葉にできたとしても、そのものは表せていないのだろうなって、書いている中で実感することはあります。

最首　せんさんはどうですか。自分の能力をのばすということについて。

せん　難しいですね……。選択授業で、月に1回作品をつくって、それをみんなで読みあう「文章表現」というクラスがあるんですけど、そこで、自分の作品に対して周囲から言葉をもらった時に、なんかこう、「言葉で影響を与えられている」ってすごく実感する。そして、それを受けとれたから、自分も相手の作品に応えたいっていう、応答関係ができる中で……りこが言ってたこととつながるかなと思うんですけど、「場への信頼」みたいな。みんなでつくっていく場への信頼っていうところから、なんかこう、「応答したい」みたいな気持ちが生まれる。「期待に応えたい」っていうのと少し近いかもしれないです。そういう形で、能力をのばしたいというか、「もっと書けるようになりたい」とは、すごく思います。

のぶき　私は、絵を描くこととか物をつくることが昔から好きで、高校卒業後は美術系の大学に行きたいと思っていて、そこから先はまだ全然明確じゃないんですけど、絵とか物づくりにかかわる仕事につけたらいいなぐらいの漠然とした思いがあります。で、そういうことを仕事にするんだったら、やっぱり絵を描く力とか物をつくる能力は絶対のばしていかなきゃいけないなとは思っています。

編集部　なるほど。そんなふうに思うこと、ごく自然なことですね。

やまゆり園事件の植松青年とのかかわり

植松青年からの手紙

最首　能力っていうことを問題にしましたけども、能力主義は優生思想（80ページ参照）を支える大きなひとつです。**津久井やまゆり園事件**を起こした植松青年は優生思想的な考え方を持っていた。

津久井やまゆり園事件

2016年7月26日未明、神奈川県相模原市の知的障害者施設「津久井やまゆり園」で、刃物を持った元職員の植松聖により19人の入所者が殺害され、職員2人を含む26人が重軽傷を負った事件。「相模原障害者施設殺傷事件」などともいう。

事件の5か月ほど前の2月15日、植松は衆議院議長公邸を訪れ、土下座して、議長あての手紙を渡した。その手紙には、「障害者は不幸を作ることしかできません」「私の目標は重複障害者の方が家庭内での生活、及び社会的活動が極めて困難な場合、保護者の同意を得て安楽死できる世界です」などと書かれていた。

植松には2020年に死刑が確定したが、2年後に植松死刑囚が再審（＝裁判のやり直し）を請求。翌年棄却された。

植松青年がどうしてそんな、1時間ほどのあいだに19人殺して、26人を傷つけるなんてことができたのか、まだまだ解明されていなくてね。刃物を5本使っているんですよ。それほどのことをして、「自分は正気である」と言っている。

これが相当な眼目なんです。自分は死刑になってもいいと思っている。でも、弁護士の「植松被告は精神錯乱なので、死刑には妥当しない」っていう主張には納得できないと。自分は正気だ、もう一度、自分の考えを世間に伝えたい、そのためにもう一度裁判を開いてくれと言いました。

事件から2年近くたった2018年の春に、拘置所の植松被告から私に手紙が届いたんです。事件の翌年に私が新聞に書いた文章を読んだらしくて、私に聞きたい問題があって手紙を書いた、とありました。

手紙の趣旨はね、まず、私が重度知的障害の星子と同居しているのを知っていて、星子はこの世の中のじゃま者であり、殺すべき対象だっていうこと。

2つめは、私が大学人でありながら、どうして星子を殺さないのだということ。大学っていう能力主義の場にいながら、どうして星子を殺さないんだ、矛盾していると。それで、「国債（借金）を使い続け、生産能力の無い者を支援することはできませんが、どのような問題解決を考えていますか?」と私に問うてきた。

それからもうひとつ、これはのちに届いた別の手紙にあったんですが、奥さんはどう考えているのか、と。星子の世話で疲労困憊してるだろう。それを大学人のあんたはどうせ、大変な面倒を押しつけて、のうのうと暮らしてるんだろうっていう意味をこめて……。

2度の面会と、植松青年への手紙

編集部　最首さんは植松青年に会っているんですよね。面会に行かれて。

最首　２回、拘置所に面会に行きました。

編集部　どんな青年だったんですか？

最首　う～ん。最初に立川の拘置所で会った時は、なんだか寝ぼけてるような感じだった。表情もあんまりなくてね。それはちょうど、２０１８年の７月６日、オウム真理教事件の死刑囚が７人、死刑になった日だったんです。

私は彼に、質問もしなかった。面会は新聞社が主になって実現したことで、記者が一緒だった。私は手紙をもらってから、どうしても一度、本人をじかに見たかったんです。その時、彼は「大学で教え、人を指導する立場の人が、ＩＱの低い人間と暮らすのはありえない」というようなことを言いました。

２回めは翌年の12月、横浜の拘置所で、今度は私も話をしたんですけど、その時は普通で、シャープな感じで。最初の寝ぼけた印象とだいぶ違った。

編集部　でも、最首さんとしては、本当に許しがたいことをした相手で……。「八つ裂きにしてやりたい」と思ったとも書かれてますよね。

最首　それは最初の感想でね。それが載った新聞を植松青年が読んだらしく、２回めに会った時に向こうから言ってきました。「八つ裂きはひどいじゃないですか」って。その言葉と、「名誉教授にはどうしたらなれるんですか」って聞いてきたこと、その2つが心に残ってますね。

1回めの面会のあとから、私は植松青年に返事を書き始めて、会った1週間後に1通めを出しました。翌月、植松青年からまた手紙がきて、返事を出して……。今は、返信はもう来ないし、死刑囚となってからは私の手紙ももう届かないんですけども、毎月13日に書いていて、インターネットの神奈川新聞のページに全部公開されています（カナロコ「序列をこえた社会に向けて　やまゆり園事件　最首悟さんからの手紙」）。

彼は、反省はしていない。反省する必要はないと考えている。でも死刑は受け入れるという。私としては「死刑なんかにされてたまるか」って。彼は生き続けなければならないっていう気持ちでね。

彼が不満に思ってるのは、自分が精神錯乱とされること。自分は正気なのだと証明したい。それは私が彼に手紙を書く理由にもなっています。精神錯乱の人に手紙を書くわけにいかない。正気だからこそ書き続けているってことはあるわけ。

編集部　それはやっぱり、わかってほしい、というか。

最首　わかってほしい。

編集部　わかるはずだ、と。

最首　わかるはずだ。やっぱり、人である限り、って。

それに、彼の応援者がネットの世界にいるんです。「よくやってくれた」って。税金を食いつぶすだけで何の役にも立たない、19人、よくぞ殺してくれたという感じ。そういう、植松青年の向こうに透けて見える彼の同調者たちに向けても、話していかなきゃいけない。だから毎月1回、原稿用紙5枚、手紙を書き続けている。

彼への手紙には、もう、ありとあらゆる問題が詰まっています。

能力で人の生死を決められるのか

脳死と臓器移植

最首　ジョセフ・フレッチャーという、生命倫理学の先駆とも言われるような20世紀のアメリカの学者が、「人間の条件」として「ＩＱ20以下は人間じゃない」と言いました。ほかにも「今日と明日の区別がつかないのは人間じゃない」とかね。「ダウン症児は人間じゃない」とも言ってる。これは優生思想そのものです。

やまゆり園で植松青年も、入所者に声をかけて回って返事がなかった人を刺したらしい。そうやって「意思疎通ができるかどうか」で「人間かどうか」を判別した。

この考え方は、**脳死**を人の死とする考え方にもつながります。

脳死

脳の機能が完全に失われ、回復できない状態のこと。脳は、大脳（記憶・感情など高度な働きを司る）、小脳（運動や体のバランスなどを司る）、脳幹（生命維持に必要な呼吸・循環・内臓の運動などを司る）の３つに大別されるが、そのすべてが機能しなくなるのが脳死である。

脳幹が動かなくなると呼吸が止まり、心臓が停止して死に至るが、医療技術の発達により、脳幹が動かなくなっても人工呼吸器などで呼吸と心臓の働きを維持できる（＝完全な「死」には至らない）ようになったため、脳死状態と完全な「死」とを区別する考え方が生まれた。

日本では１９９７年制定の臓器移植法（２００９年改定）により、臓器移植をする場合に限って、脳死を「死」と認めることが可能になった。

つまり「脳死を人の死とする」っていうのは、脳がだめになってしまった人は、心臓が動いていても「死亡した」っていうことにして、生きている臓器を利用しましょうという考え方なのね。まだ心臓が動いている人の体を、いわば「資源」として見て、その資源を活用するために早く死なせてしまうわけ。これがまず問題です。

もうひとつ、「脳がだめになった人間は死亡したとみなしていい」という考え方は、「脳が働かない人間は人間じゃない」という見方につながる。これは、星子の問題です。重度の知的障害者の星子は、そういう意味では「人間じゃない」ということになってしまう。

みなさんはどう思う？　脳死を死と認めるか。脳死は、人の死ですか？

のぶき　それは、まわりの、家族とか関係者の判断に任せるしかないのかな……。私は、もし自分が脳死状態になったら、臓器提供してもいいと思ってて。

最首　どうしてですか？　脳死になったら臓器をあげてもいいって、なぜ思う？

のぶき　助かる見込みがもう本当にゼロなら、意識の戻る可能性がゼロなら、回復する見込みがある人に臓器をあげたほうがいいかなとは思うんです。

最首　回復する見込みがないとしたら、その見込みのある人に臓器をあげたい。

のぶき　でも、まわりにひとりでも、その人に生きててほしいって願う人がいるなら、それは、生かし続けるべきなんじゃないか……。

最首　以前は、脳死による臓器提供には本人の同意が必要だった。「脳死状態になったら臓器を提供します」という本人の意思が書面であらかじめ示されていなければいけなかったのね。でも法律が改定されて、本人の意思がわからない場合は、家族がイエスと言えば死とみなして臓器をとりだせることになったんです。

それはどう思いますか？　生きてるのに、家族の判断で、強い言葉で言ったら殺していいのか、という問題なんですよ。

のぶき　それは、脳死になる前に本人の意思を確認できなかった場合ですよね。

最首　そうです。でも、生前の意思表示は、全員がしてるわけじゃない。健康保険証や運転免許証に意思表示の欄がありますけど、書かない人が多い。それに、意思表示をしてないからといって、それが「臓器を提供していい」っていう意思があったことの証明にも、あるいは「臓器を提供したくない」という意思がなかったことの証明にも、ならないでしょう。

のぶき　自分だったら、家族がいいって言ったらいいかな、とは思うんです。もう意思表示する術はないですし、死んだとしても、自分はもう意識がないから、それを認識できないので……。

編集部　うんうん。

最首　極端な言い方をすると、「人のためになるなら殺人もやむを得ない」ということになるんじゃないか。「もう回復しないんだから、臓器が生きてるうちに、人にあげたっていいだろう」と家族が決定してしまう。でも殺人には変わりないんじゃないか、許されるのかっていう問題なんです。

のぶき　……でも、ニュースで、医療危機が起きて、助かる見込みのある人を優先して助ける現場があるっていうのを見て、そういう、命の選別っていうことが実際に行われてるので……。殺人してもいいっていうわけではないんですけど、究極的には、やっぱり必要になってくる行為なのかもしれないとは、思います。

最首　日本での死の定義は、従来と同じ3徴候死。呼吸停止、心拍停止、瞳孔散大（＝瞳孔が光をあてても縮まなくなること）です。でも、臓器移植法で、臓器移植する場合に限り、脳死になって本人の意思が確認できれば、心臓がまだ動いている体から臓器をとりだしても殺人じゃないという例外規定を設けた。しかしそれでも臓器提供が全然増えないから、さらに法律を変えて「本人の意思がわからない場合」まで範囲を広げた。つまり、移植できる臓器を増やすために、人の死の範囲を広げているわけです。

　欧米などの多くの国は、脳死の考え方を臓器移植をする場合以外にも一般化して「脳死の状態になったら、心臓が動いていても死だ」と決めたの。でも、日本はそうは決めてない。それについて今の与党は「日本は遅れている」「恥ずかしい」って言っているんだ。

（りこさんに）そんなこと、考えたことある？　脳死は人の死か。

りこ　中学3年生の時に、社会の授業でやりました。

最首　おおー！

りこ　でも、その時も答えを出せる人はほとんどいなかった。脳死を死として、臓器提供していいとする立場と、脳死は死と認めない立場と、どちらの立場に立っても、答えを出しきれない。本当に、ずっともやもやする……。

「自分がもし脳死になってしまったら」っていう語り口では、自分の意思として言えるけど、同じ考えを自分の家族とかほかの人にあてはめようとすると、本当に、何も言うことができない。だけど、人の「生きる、死ぬ」って大きな問題だから、答えが出ないままではいけないとは思う。

けど、なんだろう、心臓は動いてるけど、脳が機能しなくて、自分の意思表示ができないっていう、その意思表示の能力があるかないかによってその人の存在価値が決められてしまうのだとしたら、……もっと言えば、その人とまわりの人との関係によって、つまり家族の意思によって、存在の価値が決められてしまうとしたら……。

なんか、難しい……。意思表示の能力や、まわりの人との関係性って、ものすごく曖昧なものだと思うから、そういうものに頼って人の生死が決められてしまうっていうことを、うまく受けとめられない……。

「生きている」ことを誰が決められるのか

最首　脳は能力の根源なんですね。でもやっぱり、星子がIQ20以下だとしても、脳が動かなくなっても、私は星子を殺すべきだっていうふうには思わない。植松青年は「殺すべきだ」って思うんです。

もうひとつ、「植物状態」っていう状態がある。脳が損傷して、ずっと意識不明の状態。でも、脳死とは違って脳が全部動かなくなっているわけではなく、呼吸は自然にできるし心臓も動いている。それで、「植物状態の人の安楽死（＝回復の見込みのない患者などを、苦痛を除くため、薬を使うなどして楽に死なせること）や尊厳死（＝延命処置をやめ、尊厳を保って自然に死なせること）を認めるか」っていう問題も議論されるんですが、多くの人の生活感覚としては、「植物状態だとしても、お父ちゃんには生きていてほしい」っていう感じではないかと思うのね。つまり、能力なんて関係ない。「生きてることが大事だ」って。そういう価値観はどうだろうか。生きてるだけでいいんです。脳死も、体は生きていて、脳だけが死んでいる。部分的死なんです。

「生きてる」っていうことは、その人にかかわって生きている人には、ものすごい影響力を持っていると思う。私はね、星子の脳が動いてなくても、意思疎通ができなくても、だから死んでもいいとは思えない。星子は生きてるし、いろんなことで、何か伝わることがあるわけです。それで、とにかく、私たちと通じあっている。そうとしか思えないところがある。

星子の母親なんかは、そんなしちめんどうくさいことも考えない。彼女にとっては、星子は普通の人間なんですよ。ただ世話をして、一緒に暮らしている。

「生きている」っていうのは、いったいなんだろうと思うことがある。「命を絶つ」というのは、やっぱり奥深いことだと思うんですよ。それを、社会的なことで決めたりしてはいけないんじゃないか。「社会の都合」っていうのがありますよね。能力のある人や、金がある人や、権力がある人が主になって、社会制度はつくられ、動いている。でも、そういう人たちが、私たちのいのちにかかわるいろんなことを決めていいかっていうと、そうは言えない。その最たることが、脳死のような、あるいは星子のような「無能力」とされる存在をどうするかっていうことなんですね。

高齢者や障害者を誰が養うのか

最首　今、この問題は広がっています。認知症の老人がどんどん増えている。厚生労働省でね、日本の認知症の人は２０２５年には７００万人を超えて、高齢者の

5分の1になるっていう試算もあるんです。すごい数です。2025年というのは、戦後すぐの頃に生まれた「団塊の世代」がみんな75歳以上に、後期高齢者になる年です。社会保障のお金がふくらんで、労働力不足も深刻化する。これは2025年問題と呼ばれているんですが、2030年問題、2035年問題と、どんどん進行していくことが5年刻みで言われている。いったい誰が養うのか。将来、今の若者が全部養うことになるんじゃないか。深刻な問題ですよね。

これは星子のことでもある。星子みたいな人がどんどん増えたら、社会的に養っていけるのか。星子の場合、「それは親のエゴだ」って言われちゃうのね。「何の役にも立たない、手がかかるだけの星子を、税金で生かしているなんて」と。それに対して、はっきりノーと言えない。やっぱり、若い人たちの負担がどんどん増えていくとなれば、こたえます。天真爛漫に星子と一緒に暮らしてるわけにいかないんですよ。社会を敵にして星子と生きる、なんていうことにもなりかねない。

だから私は、場合によっては星子と心中するしかないと思ってる。星子を養っていけなくなった時、星子だけ死なすわけにいかない。私も死ななきゃいけないと思う。しかし母親はそういうことを考えないんです。「私たちが死んだって、どうにかなるわよ」って言う（笑）。「明日は明日の風が吹く」という生き方です。星子が人を信頼しているのと同じに、母親も他人を信頼しているわけ。「大丈夫。どうにかなるわ」って。「星子は誰かが育ててくれる」って思ってるんですよね。

そういう思いが日常の感覚になると、世の中を見る目が違ってきます。「この世」っていう感覚ではなくなってきて、「この世」と「あの世」のどちらでもない、もうひとつのこの世、いわば「その世」的な感じになっちゃうんですね。「もうひとつのこの世」というのは石牟礼道子さん（129ページ参照）の言葉です。水俣病患者の世界は、もうひとつのこの世だ、と。そこに生きるしかないんですよ。この世には生きる余地がないんです。星子も、場合によってはそういうふうになる。

その世に生きている感覚

最首　星子は46歳になります。昔は、ダウン症の子は多くは20代で死ぬって言われていたけど、この頃は寿命がのびていてね。星子も心臓は弱いけれど健康です。私は86歳。私の祖父も、父親も、43歳というぴったり同じ年齢で亡くなったのね。2人とも若くして亡くなったのに、ぜん息持ちで体の弱かった私がこんな歳まで生きてるなんて、あり得ない。私が43になった時、母親がお祝いをしてくれました。で、今、こんな歳までこうやって生きていられている。星子の母親は「私のおかげで

しょ」って言うんですが、まさにそうで、そして星子のおかげでもある。

人生っていうのはなんだろう、と思う。でも、私は、「穏やかに生きてますよ」っていうことは、やっぱり発信したい。だから書き物をしたりもする。すごく穏やかな世界なの。平安っていうのかなあ。その世に生きている感覚っていうか。

今の世の中、平安じゃないでしょう? だけど、その世はやっぱり平安なんですね。「あの世」とはまた違って、その世は穏やかなんだ。私は怒るということがなくなりました。それはみんな星子あってのことだと思ってるんです。

これから何年生きられるか。まあ、私たちのほうが星子より早く死ぬでしょうけれど、それは母親の言うとおり、大丈夫なんだよね。「若い人たちが星子を守ってくれる」っていう信頼がある。やっぱり「人を信じる」ということは、生きているよすがであり、条件だっていう感じがしますね。信じなきゃ、星子の将来が心配でたまんなくなっちゃうよ。で、「心中しようか」なんていうことになりかねない。

星子とともに生きるっていうことは、そういう、信頼の世界なんです。

自分が大切にしたい価値

編集部　そろそろ終わりにしたいと思います。最後に今日の全体的な感想など、聴かせてもらえますか。

せん　えっと、後半の、脳死や植物状態の人の生死をどう決めるのか、っていうお話で、今までは、能力や生産性で人を選別していく社会は嫌だなくらいに思っていたんですが、それが、今の若者が抱えている問題なんだというところに結びついた時に、自分の中ですごく現実味を帯びてきました。

いのちの価値であったり、定義であったりが、社会の都合で決まっていく。で、それが自分の中でも起きている。やっぱりまだ能力主義から抜けきれていない部分があるのかなと感じています。

編集部　自分の価値観とか考え方に、社会の状況がどうしても絡んできてしまうっていうこと？

せん　その、団塊の世代が高齢者になって、若者が養わなきゃいけないという社会構造になった時に、今の自分の中にある「いのちの価値」と、将来、税金とかがのしかかってきた時の自分にとっての「いのちの価値」が、変わってくるかもしれない。そしてそう思っていうことは、自分の中にまだ能力主義が根強くあるってことなのか……。

自分の中に今、大事にしたい価値観、たとえば人権であったり平和であったりっていう価値がある。そういうものを価値として持ちつつも、社会の流れの中で、自分が苦しくなった時に、その大事だったはずのものをもう大事にできなくなる瞬間みたいなのがある気がして……。今の話で言うならば、高齢者がもっと増えていった時に、自分のいのちの価値と人のいのちの価値を同じものと捉えるのではなく、優劣をつけだしたりとかしてしまうかもしれない。やっぱり自分に余裕がなくなった時に、初めて、より本質的な葛藤が生じてくることがあるのかな、と思って。

ちょっと話が変わってしまうんですけど、たとえば環境問題について考える時に、自分の身に差し迫った危険がない状態で将来の地球環境のことを考えられるかっていうと、そうではなかったりして、じゃあどのタイミングで考え始めるのかっていうのは気になってるところです。……まとまらないんですけど。

社会の大きな流れが来る前に、今の自分が軸として持っている価値観がなぜ大切で、普遍性があるのかっていうことを考えていけたらいいんだけどって、すごく思っている。できればまわりの人とも共有したいんですけど、そういう話をしようとすると、「極論だ」とか「考えすぎだ」っていうふうに議論に真正面から向きあってもらえない感覚がどうしてもあって、ちょっともやもやを感じています。

りこ　私は、前半の話の中で、「人はひとりで生きられない弱さを持っているからこそ、どうしようもなく、場をつくろうとするんだ」っていうところに、自分の実感がマッチした感覚があって。その「どうしようもなさ」って、人間のものすごい魅力というか、人と人がひきつけあっていく良さなのかなって。出発点として「弱さ」があるってことは、素敵なことなのかなって思った。

それから、「のばしたい能力」のところで、「文章を書くこと」って話したんですけど、その「能力をのばしたい」っていうことは、より強くなるために「のばしたい」って思っているわけではなかったんだな、って気づいて……。ほかと比べて強い弱いとかじゃなくて、まったく自分のほうに向いていた。より自由になりたくてとか、素直になりたくて、もっとうまく書けるようになりたいと思って文章を書いていた。だけど、そうやって自分の中で「能力」とは切り離して考えていることも、「価値」とか「能力」とかっていうことにつなげて考えた時に、どうなるか。……脳死の話とか、もっと極限まで行った時に「いのちの選別」という問題に直面したり、私たちの生活は価値や能力と無関係ではいられないから、そこでの「価値」っていう言葉をどう私たちが捉えるべきなのかっていうところまで、うまく考えられてないけど、考えていけたらいいなと思います。

そう、「強くなりたい」っていう言葉も、あたりまえのように言っていたけど、同時に「優しくありたい」っていうこともあって、「強さと弱さ」っていうところで、もっとみんなの意見が聴きたいなっていうふうに思いました。

のぶき　私は、今までは、臓器提供は「いいこと」っていうか、そう言うとちょっと違うかもしれないけど、「善意でおこなって人の役に立つもの」っていう認識が強かった。でも、脳死の人からの臓器移植は殺人とも言えるんじゃないかっていうお話を聴いて、……なんか、自分の身近な人にそういうことが起きた場合、脳死になったから臓器提供していいと判断するのか、それともそうするべきじゃないって考えるのか、選べなくなりそうだなって……。もう一度考える必要があるって、すごく思いました。

編集部　今日も長い時間になりました。次回は少しあいだが空いてしまいますけれど、今日の続きで、優生思想のお話ももう少し聴かせていただきたいなと思います。みなさん、ありがとうございました。

第3回 開いた世界と閉じた世界

なんか、すーっと死ぬのかな。
流れに身を任せていたら
「あれ？　なんか死んじゃった」みたいな感じで
終われるの、か、な？　と。
（のぶき）

前回は、津久井やまゆり園事件のお話から、
能力によって人の生死を定められるのか、
いのちの価値は比べられるのか、など
幾つもの問いが投げかけられました。

第3回では、能力や価値を比べるもとになる
「個」「個人」という考え方がどこから来たのか、
人と人がともに暮らすこの世界を
日本ではどのように捉えてきたのか……など
最首さんのお話を聴き、考えていきます。

編集部　では、始めたいと思います。4か月ぶりですね。みなさんにはかなり大きな変化があったと思います。のぶきさんは受験もして、高校に入って。

のぶき　あ、はい。

編集部　じゃあ今回も、今の気分とか最近のことなど、順に話してもらえますか。

のぶき　宿題に追われてます。完全に（笑）。これから新しい生活が始まるので、うまくついていけたらいいなって、楽しみ半分、不安半分みたいな気持ちです。

りこ　私は1月から、部活も忙しくてずっとばたばたしてたんですけど、それがいったん落ち着いて、春休みで、したいことをしたり読みたい本を読めたりしてて、やっとゆっくりって感じです。だからうれしいんですけど、受験の年が始まるので……。いろいろがんばりたいなっていう気持ちです。あと、今日はすごくひさしぶりで、結構ちゃんと緊張していて（笑）。徐々に慣れていけたらいいなと思います。

せん　ぼくは、高校2年までの振り返りが自分の中であまりうまくできてないまま高3の年に入ってしまうことに、ちょっと焦りを感じつつ、今の学校で過ごせる最後の年をどうつくっていこうかって考えています。今、ゆっくり考えられることを大切にしながら、これからの年を想像している感じです。

編集部　なるほど。今の環境は、確かに貴重ですものね。はい、ありがとうございます。……じゃあ最首さん、今日のお話をよろしくお願いします。

社会の中の優生思想

「働かざる者食うべからず」

最首　最初に、前回の**優生思想**のこと、もう少し補足します。津久井やまゆり園事件は結局、能力主義の問題であり、優生思想の問題ですからね。

優生思想
人類の遺伝的に「優れた」素質を残し、「劣った」素質を排除しようとする考え方。19世紀末にイギリスのゴルトン（＝進化論を唱えたダーウィンのいとこ）が「優生学」を提唱。20世紀前半にはアメリカやドイツで障害者や同性愛者、犯罪者などの断種（＝手術により生殖能力を失わせること）が行われた。ナチスドイツでは「劣悪な遺伝子」を絶ち優良な者だけを残すためとして、まず断種法が制定されて約40万人が断種され、その後「T４作戦」により20万人以上もの障害者が虐殺された。日本では１９４０年にドイツの断種法にならって「国民優生法」を制定、１９４８年に「優生保護法」に改定されて、「不良な子孫の出生」の「防止」などのためとして障害者や特定の病者、「病的性格」の者などに断種や妊娠中絶が強制された。これは１９９６年に同法が「母体保護法」として改定・改称されるまで続いた。

たとえばね、しばらく前に、野球の大谷翔平、将棋の藤井聡太、それからタレントの芦田愛菜、この人たちの能力を守り、その遺伝子を残していくために、結婚相手を選ぶのは国家的プロジェクトだっていう意見がツイッター（＝現在のX）で出て、問題になった。知ってますか？　これもつまりは優生思想です。両親の遺伝子を掛けあわせて、より良き子孫を残そうっていう発想。そしてこの発想は、より「悪い」子孫はなるべく減らそうっていう発想に、容易に反転します。

日本では戦後から20世紀の終わりまで、優生保護法の下に、劣等なる障害者には子どもを産ませないとか、中絶しろなどと公然と言われていた。そういう考えは今もね、残念ながら根強い。障害者だけじゃなくて、「働けなくなった者は要らない」「認知症の老人は死ぬべきだ」っていう話がネットなんかで出てきている。

編集部　知ってますか？　少し前の「高齢者は集団自決すればいい」っていう発言（２０２１年12月、インターネット配信の番組で、経済学者の成田悠輔氏が少子高齢社会の解決策として「高齢者の集団自決、集団切腹みたいなのしかないんじゃないか」「別に物理的な切腹だけじゃなくて、社会的切腹でもよくて」などと発言した）。

最首　社会の負担だからって。「社会的資源が流入するだけの役に立たない者はいないほうがいい。それが合理的だ」と。もう本当に「働かざる者食うべからず」なんです。この少子高齢化の時代、こういう意見を支持する若者世代が実際に出てきている。こういう言葉を生みだす力が、世の中に生まれてきてしまってる……。

自立と自己責任

「自立した個人が社会をつくる」という前提

最首　この問題は、違う面から見ると「人はそれぞれ自立して生きるべきだ」という考えにつながります。

私は、自立とはいったいなんなのか、ずっと人に聞いたり自分に問うたりしてるんですけども、結論として、私は86歳になっても自分が自立したとは思えない（笑）。世間一般ではどうやら、親から離れてひとり暮らしをする、つまり経済的な独立を自立と言うらしい。とすると私は自立してるってことになるけれども……。

あるいは「社会人になる」とか「社会に参加する」というふうにも言いますね。障害者支援法（＝障害者総合支援法）は「障害者が社会参加できるように支援する」と言っ

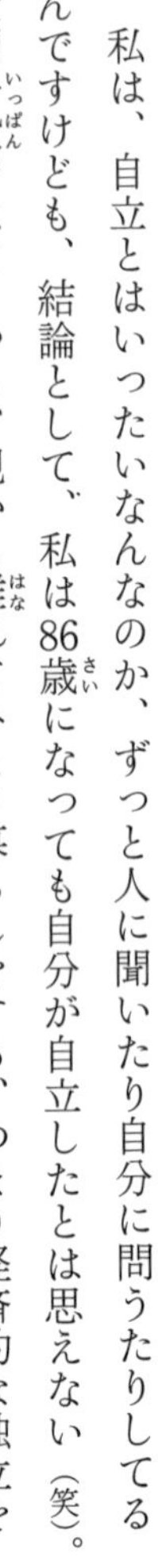

ている。つまり、「障害者は社会参加をしていない」あるいは「しづらい」ということが前提になっているわけね。でも、「障害者の社会参加」なんて、ことさらに言うのはおかしいじゃないか、という問いはあまり持たれない。

障害者だって誰だって、生まれてきたとたんに、もう社会の中にいるんですよねえ。ところが今の通念では、18歳以下は社会の中にいなくて、成人したら、あるいは就職したら「社会人」となって、社会に迎え入れられる。今の日本の「大人」「社会」の考え方は、基本的にそういうコンセプトなんです。

西欧近代に基づく市民社会は、理念として、自立した個人である市民によって成り立っていることになってる。でも、日本に住む私たちは、果たして自分のことを「自立した個人」と思っているんだろうか。どう思いますか?

そういう、「個人」とは何か、「自立」とは何かっていう理念のレベルはぼやっとしたままで、日本ではとにかく法のレベルで、成人したらいろんな権利や責任を持つことになってる。そして日常感覚のレベルでは、成人したら親から離れて、お金を稼いでひとりで暮らすんだ、それが「自立」で「社会に入る」ことだと言う。

でも果たしてそれが自立なのか。理念から考えたら、お金は稼がないけど自立した人っていうのもありうるはずだし、そもそも「自立した個人が社会をつくる」という前提が、私たちにはどうもなじんでないんじゃないかと思うんです。

「自己責任」と「持ちつ持たれつ」

最首　今、「自己責任」ということが言われますよね。しかし、私はここ何年も地元の町内会の会長をしてるんですけどね、町内会で「自己責任」とか「自分のやったことなんだから責任をとれ」なんて言われると、言われたほうは萎縮しちゃって、もう何もできないっていうふうに感じてしまう。

編集部　それは、なぜなんでしょうか。

最首　うん。共同体だからです。つまり、少なくともうちの町内会はまだ近代的じゃないんですね。「近代的」というのは……日本でも理念としては、社会は個人が集まって、自主的につくるものだということになっている。町内会も建前ではそうでしょう。ところが町内会って、根本は個人の集まりじゃない、共同体なんです。

編集部　つまり、町内会でも、理念としては「自己責任だ」って言うかもしれないけれども、実際にそこで成り立ってる関係性は……。

最首　みんなに責任があるんです。「持ちつ持たれつ」なんですね。町内会みたいな共同体というのは「個人」という観念があまり強くなくて、持ちつ持たれつ。みんなで協力しあって、その中では反発も起こるけども、それもなんとか話し合いで収めていく。話し合いというのが非常に大事なの。ただ、その話し合いが、いくら話しても決着がつかない。みんなそれをわかってて、「意見のある方は手を挙げてください」と言ってももう誰も手を挙げない。それで、「反対の方は挙手をお願いします。……反対ゼロで、この件は承認されました」となる（笑）。でも私は「郷に入れば郷に従え」と思ってね、そういうやり方で町内会長をやって、８年続いてるの。で、そのような町内会と日本的な組織の定めって、非常に合致してるんです。昔ながらの日本の会社では、たとえば平社員がいろいろ案を出して、ああだこうだといろんなことを会議で話して、飲み屋でも話したりね、そうやって話がまとまってくると、書類を係長や課長に上げる。そして部長に上げる。重役に上げる。で、最後に「決裁」が必要です。社長がはんこを押さなければならない。これは町内会でも同じで、私も町内会長として、最後に決裁をするんです。

つまり、現場が主で、上役の仕事ははんこ押し。「はんこを押す」というのは「責任をとる」ということ。何か起こった場合、はんこを押した人が責任をとって、案を出した人は責任をとらない。自己責任じゃない。それが旧来の日本的なやり方なんですね。町内会長は、実際には何も関与していなくても、「私は関係ない」なんて言っちゃいけない。情の関係、「情け」が大切っていうかね。形の上では近代的な個人社会での契約関係といえども、情けが入った日本的な契約なんです。

1970年代頃からの変化

最首　しかし、日本の社会も変わっていきました。たとえば、1970年代から80年代にかけて、「情けは人のためならず」という言葉の解釈が変わってきます。これは相当大きなことだったと思うの。「情けは人のためならず」という言葉、みなさんはどういう意味に捉えてますか?

のぶき　「人に情けをかけることは、めぐりめぐって自分のためになるよ」。

最首　おおー!　正解!（拍手）

のぶき　それが、「情けをかけるのは、その人のためにならない」という意味で捉えられがちだ、という話は聞いたことがあります。

りこ　ああ、私、そっちで捉えてました。やばい（笑）。

最首　せんさんはどうでした?

せん　ぼくものぶきさんと同じです。テレビとかで結構やってますよね。

最首　そうですね。……「情けは人のためならず」を「人に情けをかけることはその人のためにならないんだ」って受けとるようなものに、私たちの人間関係は変化してきたわけです。それは「その人自身の力に任せる」ってことにもつながりますが、冷淡さにもつながる。つまり、人のことには関与しない。人間関係が冷淡に、希薄になってきたとも言えるわけです。

「個人」の西欧と「場」の日本

「個人」と「関係」のかたち

最首　それで、だんだん本題に入っていきますが、そういう人間関係の希薄さが「個人」っていう考え方にはつきまとってしまう。つまり、個人はまず独立している。互いに離れた、独立した個人がまずあって、それからその個人と個人が関係をつくっていく。それが近代の西欧の考え方の基本です。このことを明快に言ったのが、中根千枝という人類学者。戦後すぐ、共学になったばかりの東大に入って、その後インドやイギリスに留学し、女性初の東大教授となった人です。

ちょっと、図を描いてみてもらえる？　まるを2つ横に並べて描いて、そのあいだに短冊みたいな長方形を描く。まる描いて、まる描いて、短冊を描く。

編集部　……こんな感じで？

最首　オッケー！　あ、まると短冊のあいだは離してください。関係ないよってていうふうに離れてる。そうそう。

で、もうひとつ。今度は鉄アレイのアレイを描く。お餅をぐーっと引きのばしたような……。うん！　きれいに描けた。これが、中根千枝が帰国後に書いた本に出てくる図です（『適応の条件』講談社現代新書、1972年、138ページ）。

西欧は上の図です。まず個人が存在して、関係はあとから、意識的につくるものだと言うんですね。

一方、日本は下の図だと。個人が確立していない。「私」と「あなた」がびゅーっとつながってしまってるわけ。中根千枝はこの日本人論で、日本的な思考では「いったん関係ができると、二つの個体はそれ自体個体としての独立性はなくなり、両者はつながってしまう」と書いています。そういう、まず関係ありきの個人なんです。この本では「だから日本はだめなんだ」って感じで、批判的なんですけどね。

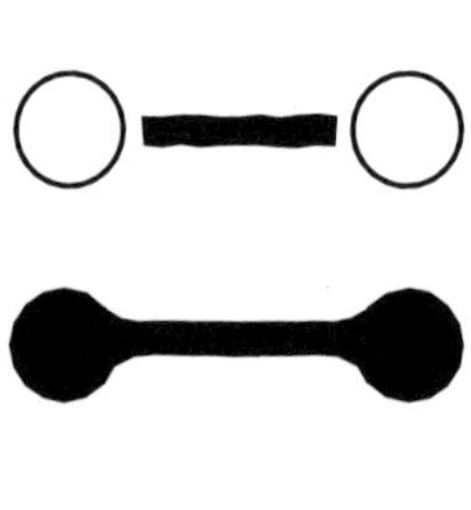

コラム◇「いる」と「ある」の違い

日本語では「いる」と「ある」を使い分けますが、ほかの多くの言語はその区別をしません（たとえば英語ではどちらもｂｅ）。それについて最首さんは、「いる」という言い方は「場にいて、他とかかわっている」ことを表すのだと話してくれました。

最首　私は、この「まず関係ありき」というのは、「いる」っていうことだと思うんです。

たとえば、「犬がいる」とは言うけど、「桜がいる」とは言わない。なぜだと思う？

のぶき　意思とか感情があるとわかるものを、「いる」って言うのかな。

最首　そうですね。でも、意思や感情はまとめて「心」と言えます。日本には古くから「万物（ばんぶつ）に心がある」という見方がある。桜の木にも心があり、石にも心がある。だから、心がないからっていうわけじゃないらしいんです。……ほかは何かあるかな。

せん　桜は、そこにたたずんでいる。立っているだけだけど、犬には動きがある。

最首　やった！　そのとおりです。動くもの、つまり動物は「いる」と言い、桜の木のような植物は動かないから「ある」と言う。動くか動かないかで「いる」「ある」の区別をしているようなんです。

それでね、「いる」と「ある」を区別する私たちにとって、「いる」という言い方は、非常に大事なのだと思う。つまり、「○○にいる」と言うと、場と自然に関係してる感じがする。でも、「○○にある」と言うと、ほかとは切れて、独立して「ある」感じがするでしょう？

それで、たとえばりこさんと私が同じ場に「いる」。すると、「私が」「あなたが」ってことさらに言う必要がなくなってくる。主語がなくても自然に通じあってしまう。

実際、日本語は主語がいらない言語です。私がりこさんに「行くよ」って言うとするね。するとりこさんはそれだけで、状況に応じて、「最首がこれからそっちに行くよ」っていう意味なのか、あるいは「球がそっちに飛んでいくよ」っていう意味なのかわかる。つまり、話し手と聞き手が同じ場にいて、状況をわかりあっていれば、主語を省略しても通じちゃうんですね。

日本語という言語は、お互いが同じ場にいることを前提にして成り立っていると言えるわけです。

「個人」の誕生と、自然の見方の変化

最首　この上のほうの図のような西欧での「個人」の誕生は、キリスト教の誕生と関係があるんじゃないかということが、坂口ふみさんという方の『〈個〉の誕生』（岩波書店、１９９６年、のち岩波現代文庫、２０２３年）という本に書かれています。

この本によるとね、すでに3世紀頃から、キリスト教の中で「一なる神」に対置されるような形で、「個」という考え方が生まれたんだっていうんです。

キリスト教は一神教で、唯一絶対の神を信じる宗教ですけれど、その神に対する多様な、生き生きした、ひとりひとりの「個人」が生まれた。そしてキリスト教は

個人を単位とする宗教となっていく。

編集部　「個人が神を信仰する」という形で。

最首　はい。ひとりきりの個人と、ひとつだけの神が向きあう形の宗教ですね。

一方で、だいぶ時代が飛びますけれど、17世紀にデカルトとかニュートン、パスカルなどがわっと出てきて、近代科学が始まり、合理主義の時代が始まります。その頃にね、「自然」というものに対する見方が大きく変化していったんです。それまでのキリスト教の「自然も人間も神が創造した」っていう考え方と結びついて、自然とは神から人間への贈り物なのだ、と。自然は人間とは切れたものであって、技術をもって支配し、利用できるものだ、と見られるようになった。つまり、ひとことで言えば「客観的対象」になった、ということです。

そしてこの頃から、科学や技術を「進歩」させていこうとする、そして進歩に向かってそれぞれが「競争」するという、今の資本主義の社会につながるような枠組みが少しずつできていくわけです。

いたるところに神がいる

最首　キリスト教だけでなくユダヤ教、イスラム教も一神教です。神は唯一の神で、姿を描いてはいけないし、名前も気軽に呼んではいけない。3つとも唯一絶対の神を非常に畏れ、うやまう宗教です。そしていずれも、神は万物を造った創造神。神が自然を造り、最後に人間を造った。だから、人間は絶対に神にはなれない。

一方、日本に生きてきた私たちにとっては、神はいっぱいいるんです。たとえば、私が調査で水俣へ行った時はね、一歩足を出すと「ほら、そこは神様がいるんだよ」って。水俣の市街は近代化していましたが、私が調査した御所浦島や女島では、いたるところに神がいるっていう感じだった。自然のすべてが神で、石ころひとつにも神がいる。さらに日本は仏様までいるでしょ（笑）。大変なんです。

そして、日本には死んだら誰でも神になる、あるいは仏になるっていう考え方がある。そのぐらい近いのね。神と人間は。

……少し難しい話になってしまいました。要するに、西欧では、自然と人間は切り離され、神と人間も切り離されている。そして「個人」がそれぞれ自立して、別々に生きている。そういう見方が基本になっている。

一方、日本の古くからの考え方では、神はいたるところにいる。自然のすべてに神がいて、魂が宿っていて、そして人間は自然とつながり、とけあっている。ひとりひとりの人も、確固とした個人として別々に存在するというより、まず場ありき、関係ありき、共同体ありきで、つながりとして暮らしていた。しかしそれが戦後、特に1970年代頃から目に見えて変化してきたんじゃないか、という話です。

開いた世界と閉じた世界

開いた世界の中の閉じた世界

最首　それでね、そういう日本の「関係ありき」「つながりありき」という世界は「開いた世界」なんだと思うのです。出発点はあるらしいんだけれども、未来は広がってゆく一方で、終わりがないんですね。こういう世界観の中に私たちはいるのではないか。

で、そのベースの上に「閉じた世界」という、いわば菱形の世界ができます。菱形世界には終わりがある。終わりをめざして生きる。これは西欧の、キリスト教の、創造から始まっていつか終末がくるという世界観です。

日本は約150年前の明治維新の頃に、開いた世界の中に閉じ

開いた世界

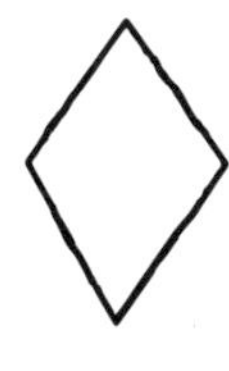
閉じた世界

開いた世界の上に閉じた世界

た世界の思想を受け入れる、ということをしました。開いた世界のベースの上に、閉じた世界が出現する。閉じているがゆえに終わりが来て、また新しい閉じた世界が来る。いろいろな世界観が交代していく。でもベースになっている「開いた世界」は終わりがなくて、変わらない。そういうイメージなんです。

だから、今や西欧的な思想や制度がどんどん入ってきて行きわたっているんだけど、それがどんなに行きわたっても、あいかわらず西欧と違う、開いた世界の心情が顔をのぞかせるわけですね。

開いた世界は成り行き主義

最首　「開いた世界」のポイントは、まず、「関係が先で、存在があと」ということ。逆に、西欧的な「閉じた世界」では「存在が先で、関係があと」。存在というのは、個人、個の存在ということです。先ほどの中根千枝の図の○ですね。

もうひとつ大事な点は、開いた世界は成り行き主義だということ。先はどうなるかわからなくて、いろいろなものの影響を受けながら、自然に任せて、なるようになっていくという考え方。一方、閉じた世界は因果関係の世界です。物事は必ず原因があって、それに応じて結果が必然的に決まっていく。さらに、「人間の力で世界を変えていくことができる」っていう考え方も加わります。「こういう目的に向かって変えていこう」とか、「自然に任せておくとこういう結末になってしまうから、阻止しよう」と考える。人間の力でコントロールする世界なんですね。

編集部　「閉じた世界」の始まり、終わりっていうのは、生と死についても言えるんでしょうか。死イコールこの世の生の終わりである、という世界。

最首　はい。「結末」というのは「死」です。キリスト教でも死後の生という考え方はあるけれど、それは現世とはまったく違う、楽園での、永遠の生です。

でも日本の、開いた世界の心情では、「死が終わりだ」とは思えない。心臓が止まって体が動かなくなっても、「それで終わりではない」っていう気持ちがどこかにあるんですね。「体が死んだって、ひとはずっと生きてますよ」っていう、その「ひと」という感じ。「ひと」は、肉体が終わったら終わりじゃなくて、次の現世にきっとまた生まれ変わってくる。そうやって生死を繰り返していくんじゃないかって気持ちがほのかにある。

……そういう、「開いた世界」と「閉じた世界」という2つの世界観を私たちは持っている。そこを押さえておくと、今の私たちが抱えているいろんなことがはっきりして、考えやすくなります。

コラム

日本語の中の成り行き主義

最首さんは、開いた世界の成り行き主義は日本語の中にも表れていると言います。

最首 たとえば「お茶が入りました」って言いますよね。「私がお茶を入れました」というふうに行為の主体や因果関係をはっきり示すのではなくて、自然に入っちゃったという感じで、ぼやっと表現する。「私」は何かをするのでも、されるのでもなく、出来事が自然に起こって、その成り行きにただ巻きこまれてるって感じです。

で、逆に言うとそこにね、確かに責任があるはずの「私」をまぎれこませることができる。曖昧に、ぼかすんです。茶碗を割ってしまって、「茶碗が割れました」って言う。「わざと割ったわけじゃないんだ。手からすべり落ちて……」とかなんとかいう感じで、「私が割った」ということをぼかしている。自分には責任がないとは言わず、責任を先へ持ち越そうとするんですね。

よくも悪くも私たちには、責任というものを引き受けきれず、自然に先延ばしにしたりぼかしたりしてしまう感覚がある。

そうなるとねえ、生きるにつれて、人生がだんだん重くなっていきます。「すみません」という言い方も同じです。これは「責任をまだ決済していない」ということを「済んでありません」、「すみません」と表現している。「私は責任がない」とは言ってない。「人とのかかわりの中で、私は責任を引きずって生きていきます」っていう意味なんです。

編集部 「すみました」って言うとそこで終わりで、閉じた世界だけれども、開いた世界においては、「すみません」と言って持ち越していくんですね。

西欧で学んでみたい思い

編集部　みなさん、「ここをもうちょっと聞いておきたい」っていうところはありますか？

りこ　「閉じた世界と開いた世界」っていうのは、西欧と日本との違いでもありながら、私たちは自分の感情や感覚の中にどっちも持ってる、みたいなことでしょうか。

最首　そうです。合ってます。より正確に言えば、西欧と日本っていうより、西洋と東洋の違いという感じなんですけれども。

　日本が今のような「国家」としての形を持ったのは、やはり明治維新からです。で、その時のモットーは「和魂洋才」。「和の魂」プラス「洋の才能」ということ。「現実的な制度や社会のつくり方は、西欧を規範にしましょう。だけど、宗教的なところや精神は譲れません。変えませんよ」ということです。

　で、その頃から「西欧に遅れるな」という思いがしみついて、今でも続いています。そうしてできた今の社会は、能力主義です。学校も能力主義だけれども、それでもりこさんやせんさんが行っているような、能力で人を測ろうとしない、自己評価を大切にする学校も少しはある。でもそこを卒業して、「大人」になって「社会に出る」ということになったとたんに、「郷に入れば郷に従え」で、社会の規範に従うことを求められる。それは、今の社会では能力主義です。自分の力で闘って生きていけ、自己責任だっていうこと。そして、能力主義は嫌だ、拒否するとか、あるいは合わない、その中ではどうにも生きられないという人は、暮らしが大変になっていく。「私、もうだめだ」ってなったりする……。

きみたちは、どうでしょう。「大人」の世界までもう一歩というところまで来ている。せんさんなんかは、もう成人してしまってる。

せん　ギャップは、あります。今は、能力で測られない、「自分で自分を見る」っていう自己評価のしくみの中で生きているけれど、社会に出て、経済的に、それこそ「自立していかなければいけない」という、誰からかわからないプレッシャーの中で、何を大事にして生きていけばいいのか。

その中にどうしてもハマれないから、「そこから抜けだす」みたいなところに答えがあるのか、それともその中でうまくやっていこうとするほうが、自分にとって生きやすいのか。ちょっとまだわからないところがあります。

……今、最首さんが日本と西欧の比較をされていたと思うんですけど、日本という国にいることで自然に受けてしまう影響から脱するために、海外に出てみるっていう選択肢はありなのかなと思っていて。行った先でまた、「個人」を求められて苦しい思いをするかもしれないけれども、……自分というものをひとつの文化の中だけで捉えることはできるのか。そんなことを考えたりします。

最首　……そうだなあ。「和魂」と「脱亜」っていうことはどう思いますか？　「和魂」というのは日本的な心情を持ち続けること。一方で明治期には「脱亜入欧」とも言われた。「アジアを離れて欧米に入る」。これが日本のモットーになって、形は変わりながらも、今もずっと続いているんです。それについては、せんさんはどうでしょう。

せん　アジアから出て、欧米に入る。……それこそ、北欧の教育や社会保障のしくみが「進んでいる」と言われる中で、それを学んでみたいっていう気持ちが自分の中にある。それはある意味で、「欧米にならう」という姿勢なんだと思う。ただ同時に、そのまま輸入すればいいというものではなくて、日本の、アジアの中でつくられてきたものとの嚙みあわせみたいなものも大事だなと思っています。……うーん、でも、自分の中にそういう、脱亜入欧みたいな思考は確かにあると思います。

編集部　それって、さっきの最首さんの「開いた世界の上に閉じた世界があ

る」というお話と通じるかもしれないですね。

「あいまいな日本の私」

最首　もうひとつ言うと、開いた世界は「あれもこれも」の世界でもあります。近代社会っていうのは合理主義の上に成り立っていますから、白か黒かをはっきりと決めなければ事が進まない世界なんですね。矛盾とか曖昧さとかはあんまり許されなくて、どこかで「あれかこれか」をどっちかに決めなくてはならない。

しかし、日本に暮らしてきた私たちは典型的に「あれもこれも」と思う。つまり、「あれかこれか」を決められない。イエスかノーか、なかなか決められない。意見もなかなか言えないし、優柔不断だし、曖昧ですよね。こう、きっぱり決められないところがあるんじゃないでしょうか。どうでしょう？

せん　……自分の感情も、意識も、曖昧なままで引きずっていくみたいなところが、「成り行き主義」とかかわってるのかなって思います。

最首　そうそう！　かかわってる。

大江健三郎がノーベル文学賞を受賞した時、「あいまいな日本の私」という講演をしました（1994年）。川端康成の「美しい日本の私」という受賞講演（1968年）

に対して、「あいまいな日本」と言った。曖昧ではいけないということでは必ずしもないんです。でも、そのまま肯定するわけでもない。ただ、日本の特徴としての「あいまいな日本」です。

決断を迫られても決定できない。積極的に何かをするわけではなく、ただ穏やかでありたいと思っている。私はそれを「消極的和」と呼ぶんですが、そういう心性が私たちの根にある。そして、それは国の進路や国際関係にもかかわってくる。

日本は太平洋戦争を始め、そして完璧に負けた。でも「始めました」「負けました」という意識はあまりないんじゃないか。「戦争が始まりました」「戦争は終わりました」っていう意識でね。先ほどの「茶碗が割れました」と同じです。

この戦争で日本は中国、朝鮮半島、東南アジアにものすごい被害を与えた。そして「戦争は終わったんです」って言う。それが私たちなの。

編集部 それは、中国や朝鮮半島や東南アジアの国々に対して、罪の意識が薄いっていう……。

最首 韓国や中国がずっと言っているのはそのことです。「日本は自分たちに被害を与えたことを忘れているんじゃないか」って。しかし日本の人々は、「終戦」という言葉に着地点を見いだした。日本は外交姿勢として、「ちゃんと謝罪した」と、被害を与えた国とのことは解決したと主張している。でも、韓国や中国の人々はそう思っていない。日本の態度に納得(なっとく)していない。私たちはそういう意味で、負の面を、マイナスを含(ふく)んだ曖昧さを抱えて生きてるんです。それを変えるということがなかなかできてない。つまり、どこかに「戦争をしたくてしたんじゃないんだ」っていう気持ち、言い訳がある。やむを得ずしたんだ、させられたんだって。こうなっちゃったんだ。「茶碗が割れちゃったんだ」って。

いのちの中の死と生

死を想像する

最首　さっき、開いた世界は終わりがないっていう話をしましたが、「終わり」っていうことはどうでしょう。

せん　……終わり？

最首　ちょっと言い方を変えるとね、自分が年をとっていくでしょ。私は86年生きてるけれど、みなさんはまだ20年にもなっていない。そういうみなさんは、自分の終わりについて、つまり、死についてはどうでしょう。

せん　昨日、「何歳まで生きるんだろう」みたいな話をちょっとしたんです。

最首　ほう。どんな話？

りこ　もうひとり友だちがいたんですけど、「30ぐらいまでしか想像できないよね」って。「30だな」って（笑）。

最首　（笑）いいなあ。30だなんて言っても、あと10年はあるんだよね。

のぶきさんは？　この中ではいちばん若いけれど。

のぶき　なんか、私は性格上、大きい流れに身を任せちゃうみたいなところがあるので、大きな時代の流れとかに任せながら、だらだら生きてだらだら死ぬ……。

みんな　（笑）

のぶき　なんか、すーっと死ぬのかな。流れに身を任せていたら「あれ？　なんか死んじゃった」みたいな感じで、終われるの、か、な？　と。……もうちょっと、自分の意志で何かするってことも必要になるのかな。でも、このまま行くと、流れに任せて、だらだら生きて終わりそうな気が（笑）自分ではしています。

編集部　まさにさっきの「成り行き主義」的な。

のぶき　「あ、自分だ」って思いました（笑）。

……あと、ちょっと違うかもしれないんですけど、以前友だちと「自殺するならどこがいいかな」みたいな話をしたことがあって。ただそれだけなんですけど。山だと管理人さんに迷惑がかかるし、電車の飛びこみだと交通に影響が出るし、みたいな。

最首　人に迷惑がかかる。

のぶき　はい。いちばん迷惑がかからない場所はどこかなって言って、「海じゃね?」みたいな話をしたことはあります。そういう話を結構軽くしてたので、死って自分にはまだあんまり縁がないものと捉えていたのかなって思います。

最首　人の死に遭って悲しい、本当に悲しいっていう経験も。

のぶき　ないです。

最首　そもそも人の死に目に遭ったことが少ないってことかな。

のぶき　それもあると思います。親戚や祖母が亡くなってはいるんですけど、あんまり、悲しいとは思わなくて。すごく近い関係だったわけではないけど、本当にお世話にはなってるんですけど。……確かに、なぜだろうっていう気はします。まわりにはもちろん泣いてる方も多かったけど、でもなんか、私は「悲しい」とは思わなかったです。

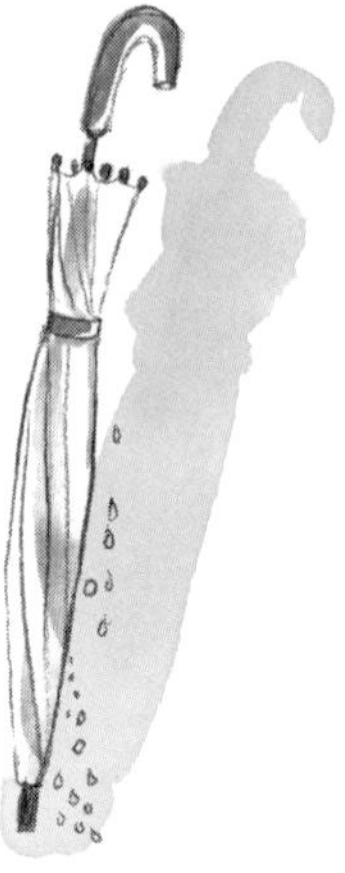

おじいちゃんがいるだけでよかった

最首　（りこさん、せんさんに）どうでしょう。

りこ　私、おじいちゃんが亡くなった時におばあちゃんが言ってたことが、ずっと印象に残ってて。２人は家ではあまり話さなかった。本当に少しの会話しかしなかったけど、「いるだけですごく大きい心の支えになってたんだなあ」みたいなことをおばあちゃんが言ってて。

最首　いるだけで。本当にねえ。

りこ　……なんて言うんだろう、何かがうまくいかなくて「自分は能力がない」って思う時に、「がんばるのやめたい」とか「生きるのやめたい」とか思ってしまうけど、でも、いるだけで、自分が元気でいるだけで喜んでくれる人がいるって思うと、「いること」が大事なのかなって思う……。「関係を持つ」っていうのは、しゃべることとかがなくても、「知りあっている」っていうことが大事なのかなって、その時に思った。その時のおばあちゃんの悲しみっていうのを、なんて言うんだろう、その時に想像して……。

最首　そうですね。私も、星子（せいこ）がいるだけでいいと、生きてるっていうだけでいいという感じなんです。りこさんのおばあちゃんと同じでね。「おじいちゃんがいるだけでよかった」っていうのは本当のことだと思いますよ。

編集部　今のりこさんのお話は、おじいさんが亡くなって、りこさん自身の悲しい気持ちもあるけど、それよりも、おばあさんの「おじいちゃんがいるだけでよかった」という気持ちのほうにすごく共鳴、共振してしまった、ということなのかな。

りこ　……んー、その時は、何に対して悲しいと思っているのかよくわかっていなかったけど、確かに、それもあるかもしれないです。

どっちかだけではなくて、おじいちゃんがいなくなってしまったことが、自分自身悲しかったのもあるし、おばあちゃんがその後ひとりで家で暮らしていくっていうことを考えた時に、悲しい……っていうところもありました。

「生かされている」という気持ち

最首　「生かされている」っていうのはどうでしょう。私はね、小学校をぜん息で休んでるあいだ、「こんなに苦しいのは、もういいよ」って、「もう生きなくてもいいよ」って思っていた。そのあと、63歳の時に左の肺の下葉を切除する手術をして、もうこれでだいたい終わりかなーと思っていたんですが、それから20年も生きちゃってる。で、「生かされてる」っていう気持ちが非常に強いのです。

みなさんはどう？　「生かされてる」なんて気持ちになったこと、ありますか？

りこ　生かされてる。なんだろう……。中学生の頃のほうが、「もういいよ」って、「もう生きたくない」っていう思いが強かった。で、だからこそ一方で、抗う気持ちが生まれて、「生きたい」と思えるようになりたかったし、「生きたい」と思えることに対する喜びも大きかったんだけど、そういう気持ちが薄れてきている気がする。なんか、それに気づいた瞬間、さみしかったんですけど。切実に「生きたい」って思うこともなくなってしまったっていうか。

編集部　そうか。「生きたくない」って思うことはなくなったけど、「生きたい」と思うこともなくなった。

りこ　（笑）今は、なんとなく「まだ歩んでいこう」って思う感じです。それは、まわりの人がいるから。どうしても、って。私はいっつもそこ。なんか、生かされてる。まわりの人と関係を結んだから、生きていくしかないなあっていう感じかなと思う。それがいちばん、あるかなって。

最首　毎朝起きる。ごはんを食べる。食べなきゃ死んじゃうからって義務感で食べるけど、毎日3食食べるなんてもう、面倒くさいと思ったことないですか？

りこ　あるある（笑）。あります。全然。

最首　それは生きる義務だ、なんて感じたことは？

りこ　えー……「義務」っていう言葉で考えるなんて、初めてだから、あまり想像できない。みんなはどうなんだろう？

編集部　……「生きちゃってる」みたいな感じのほうがあるのかなあ（笑）。生きちゃってる。死ぬわけにもいかないし、みたいな。

最首　ああ。生きちゃってる。本当に、毎朝よく目が覚めるもんだと思うんですよねえ。そんな、朝起きた時「ああ、今日も起きたんだ」って感じ、あります？

のぶき　義務感というよりは、自然現象みたいに、1日の流れとしていつもやってるから、特に意識せずになんとなーく起きちゃってる感じが強いです。

最首　ねえ……。本当にねえ。

せん　その、寝て、起きて、という生物的な循環の中にいて、で、それを止めようとする動き、たとえば自殺しようとすることとかって、その生物的な循環に意志でストップをかける行為じゃないですか。その行為って、結構、力が必要で。

それはやっぱり、「関係」がある中で、意志で関係を切ろうとする行為であって、それそのものが疲れるから、やらない、みたいな感覚が大きいと思う。それくらいなら関係の中で生きていくほうが、たぶん、楽というか。

編集部　関係の中で生きてるのをわざわざ断ち切るのは、すごくしんどい。

せん　すごく大変だと思います。それこそ「生かされてる」というか、まわりと関係がある中にいるから死ねない、みたいな感覚はありますね。

死と生はともにいのちの中にある

最首　この頃、「死にたい」って言って、死刑になるために人を殺した、殺そうとしたっていう事件が何例か出ていますよね。死にたい。でも自分では死ねない。だから人を殺して、自分を殺してもらおうっていう若者が出てきている。それは、どうでしょう。死刑になれば終わりだ。植松青年のこともそうですが、死刑にすれば終わりだっていうこと。

私はずっと、死刑には反対です。……というより、開いた世界では、死というものは終わりではないんだっていうことなんです。「いのち」ということの中に、死と生がともに位置づいているんですね。死がなければ生はないし、生がなければ死はない。死と生というのは同等なんです。いのちは死と生とともにある、死と生は同価値としてあるんだということを踏まえて、その上での生なんだっていうことを、やっぱり言う必要がある。

いのちっていうのは、決して善きものではない。善きものも含んでいるけど、人間にとってどうしようもない、酷い苦しみとか悪魔的なものも含んでいる。いのちっていうことについて、私たちは全容がわからないんです。

私は、もし星子が殺されたら、絶対にというくらい、その人を殺しますよ。自分の手で。それはやると思っている。星子が殺されたら絶対そいつを殺し、星子がレイプされたら、その男を単純に殺したりしても飽き足らないと思う。それは、責任をとらせるとかなんとかいう問題ではなくて、もっと何か、いのちに対する感覚がある。そういう、いのちの暴力性みたいなものを思うんですよ。

大きなところでは、死と生は同等だと、死は生につながるのだと知りながらもね。殺すなと思い、殺したいと思い、生きたい、生かされている、生きているだけでいいって思う。そういう、現実の世界でのどうしようもない思いを全部含めてのいのちであり、開いた世界なんです。

曖昧さを大切に、「選ぶ」ことに向きあう

編集部　今日もだいぶ時間を過ぎてしまいました。では最後にまた、今日のお話で印象に残ったこと、感じたことや、今の気持ちなど、ひとことずつ話してもらえま

すか？

りこ　前回のお話にあった、津久井やまゆり園事件の植松さんが、自分は正しいことをした、やるべきことをしたんだっていう意識を今も持ち続けているっていうこと。それから、ホロコースト（＝ナチスによるユダヤ人の大虐殺）とかも、人を選別して殺すことを正当化する論がつくられて、それをみんなが信じて行われたんだと思うんですけど、そういう、自分のやっていることを「正しい」と思って、正義感でやることの危うさを感じて……。で、今、高齢者の方に「集団自決しろ」って言う人がいるってことを今日初めて知ったんですけど、すごい衝撃で。そういう意見が自分たちの世代から主張されてるって考えると、全然遠い話じゃない、身に迫っていることだなって思うし、「人に価値の差をつけて人を殺す」ということが合理的なこととして主張できてしまうことが、本当に怖いなっていうふうに思いました。

　自分にとっての価値を求めたり探したりして生きることはすごくいいことだし、自分もしている。だけど、その価値を他者に押しつけたり、反対に、それに合わない人を価値のないものと見なしてしまう時が危ないのかなって思って。

　あと、「同じ場にいる者のあいだでは主語は必要なくなってくる」っていうお話のところで、でもやっぱり私たちは、語っていく上で、主語を獲得する必要がたぶんある。そういうところはもう少し話したいなって思いました。

のぶき　私はやっぱりずっと能力主義の社会で生きてきて、で、成り行き主義があてはまるような性格なので、まわりの考え方に流されて、他人からの評価のほうが自己評価より大事なんじゃないかなって思いながら生きてきたんですけど、今回の対話を通して、評価っていうのはやっぱり能力主義につながっている、それが「働かざる者食うべからず」みたいな意識にもつながってくるっていうお話を聴いて、なんか、自分の中にもそういう意識が、知らずにあったんじゃないかって思って。「働かざる者食うべからず」とは自分では思ってない、と思うんですけど、世の中全体の波にのまれて、自分が「まちがってる」と思うことを自分でやってしまってることがあったんじゃないかなって、ちょっと考えさせられました。

せん　ぼくは、「どっちか」ではない、「あれもこれも」だっていうお話で、「選ぶ」ということが私たちにとって難しいことで、曖昧な状態、「あいまいな日本の私」を自分の中に認めざるを得ないっていうのは、すごく腑に落ちました。

で、その視点で優生思想や能力主義を見た時に、能力とか生産性っていう価値観で「選ぶ」ということを、すごく簡単にしてしまっているところがあるなあと思って……。「いのちの選別をする」ってなった時に、そこに迷いが生じない怖さがすごく、あるなと思った。だからこそ、曖昧さをもう少し大切にしながら、「選ぶ」ということに向きあいたいと感じています。

最近、まわりの人がなんだか急いでいる印象がある。でも、その流れの中でも自分は、自分の選択をもう少し丁寧(ていねい)にしていく必要があるって思いました。

編集部　ありがとうございます。じゃあ、今日はここまでにしましょうか。

みんな　ありがとうございました。

最首　なんか、みなさんとだんだん親しくなってきたような気持ちなんですけど。次回で終わりなんですね。

第4回

いのちと価値のあいだ

死というのは一時の段階で、
生も死もすべていのちの中のことなんだよね。
「生きる」っていうことは
そのぐらいのことを言わないと、
なかなかねえ、つかまえられない。
（最首）

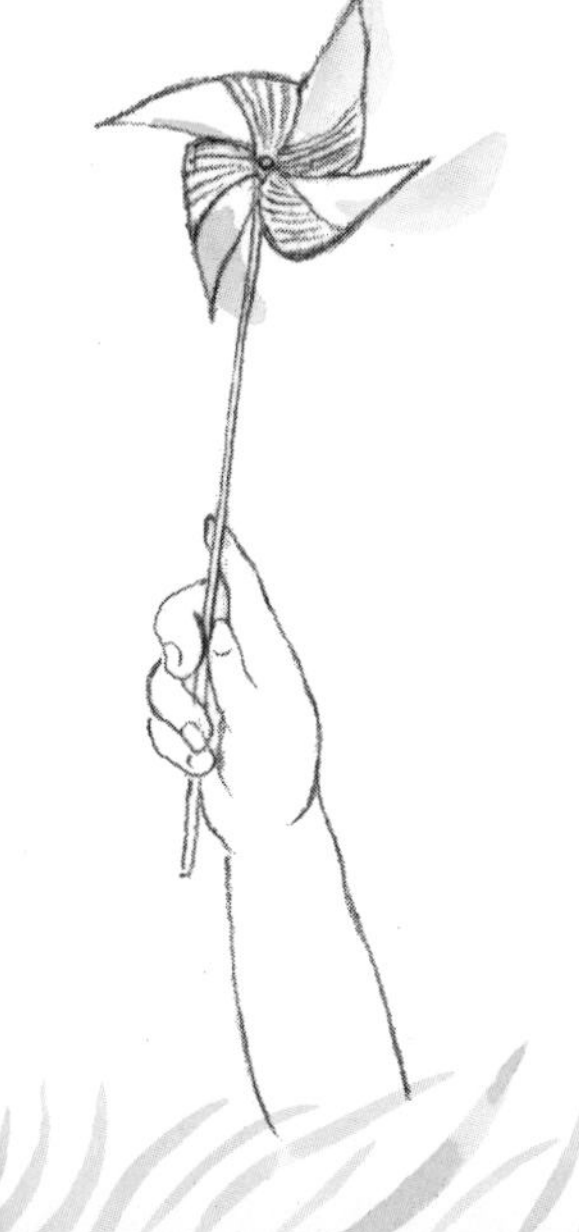

星子さんが生まれた翌年の１９７７年、
最首さんは熊本県の水俣に通い始めました。
水俣病を生んだ企業に対して
患者たちが裁判を起こし、
水俣病が知られていった少しあとの頃です。

最終回の第４回では、
水俣病と石牟礼道子さんの言葉、
そこから受けとった世界について
最首さんのお話を聴き、
「いのちの価値」そして「いのちと価値」
について、みんなで考えていきます。

編集部　とうとう最終回になってしまいました。残念なのですけれど……今日もよろしくお願いします。最初に、今日の気分とか、今、気になっていることとか、最近の様子をひとりずつ話してもらえますか？

のぶき　はい。高校生活が始まって、早々に勉強面に不安が見え始めてます（笑）。友だちも数人ですけどできて、たぶん楽しめそうな感じです。部活は美術部に入ろうと思ってます。

編集部　楽しみですね。ありがとうございます。じゃあ、りこさん。

りこ　今日、外に出たら夏みたいな感じで、あったかくてうれしかった（笑）。というのと、最近は学校が始まって、もうみんな進路を考えてる雰囲気(ふんいき)で、焦(あせ)りとかいろいろ感じて、心が穏(おだ)やかじゃない感じ。どう自分を保つか、みたいな。

編集部　あおられちゃうような？

りこ　そう（笑）。ちゃんとがんばりたいけど、みんな不安だから、不安が不安を呼んで……みたいな感じで。

最首　りこさんは何年生だっけ？

りこ　高校3年生です。

最首　3年生で、しかも新学期。外の大学を受験するっていう緊張(きんちょう)もありますね。

りこ　そうです、そうです。

せん　ぼくは、学校は始まったけど、授業はまだ始まってなくて、クラスのみんなでゆっくり散歩したり、お菓子パーティーをしたりして「もっとなかよくなろう」みたいな時間があって。授業が始まるとなかなかそういうことはできないので、いろんな人と少しずつ話す機会ができて、いいスタートかなと思っています。

差別と水俣病

編集部　今日は水俣のお話をということで、最初に私から水俣病について簡単に説明しますね。みなさんは水俣病って、きっと社会科で四大公害病のひとつとして勉強すると思うんですけど、それ以外に知る機会ってありますか？

りこ　そんなにないです。

せん　四大公害病は、中学の時にさらっと触れて終わりました。確か、公民で。

編集部　なるほど。わかりました。

水俣病は、熊本県の水俣湾で最初に発生した公害病です。（概要を説明する）

水俣病

まず熊本県水俣湾周辺と不知火海（八代海）一帯で、次に新潟県阿賀野川流域で発生した公害病。工場排水中の有機水銀（メチル水銀）が体内にたまった魚介類を食べることで発病するとされる。神経が侵され、手足のしびれ、言語・視覚・聴覚・歩行・動作の障害、頭痛や耳鳴りなどの多様な症状を呈し、重症では死に至る。

熊本水俣病を生んだ企業のチッソは、１９０８年に水俣工場を操業（当時の社名は日本窒素肥料株式会社）。技術革新と規模拡大を重ねて、日本を代表する化学工業メーカーとなった。１９３２年、ビニールなどの原料となるアセトアルデヒドの生産を開始。その工程で排出されるメチル水銀を未処理のまま水俣湾に流し始めた。チッソは朝鮮や満州にも進出するが、１９４５年の敗戦でそれらの海外資産をすべて失い、水俣工場を拠点に再稼働。そして１９５６年、水俣病が公式に確認された。

患者の訴えに対し、チッソは自社が原因であることを認めず、１９５９年「見舞金契約」を結ぶ。これはごく低額の補償金を支払い、そのかわりに「今後もしチッソが原因とわかっても補償金を要求しない」「診査協議会が認定した者のみ水俣病患者と認め、補償金を支払う」など、患者側に非常に不利な条件を含んでいた（この契約はのちの裁判で「公序良俗に反する」として無効化された）。

１９６５年に新潟で新潟水俣病（第二水俣病）の発生が確認され、１９６８年、政府が水俣病を公害病と認定。１９６９年に熊本水俣病の患者１１２人がチッソに対し訴訟を起こし、１９７３年勝訴。しかしその後も、「認定」の基準や申請、補償の内容などをめぐって患者側とチッソ・県・国との交渉や争いが繰り返されている。

清らかさと汚さ

最首　水俣病を語るというのは、大変なことでね……。

これまでの回で、みなさんから「価値」っていうことが言われていますけども、価値というのは、なんて言ったらいいだろう。「かけがえのない」というかね。ほかのものには代えられない唯一の大事さみたいなものが「価値」です。

「かけがえのない」っていうと、その下にいろんな言葉が付きますが、最後に、いちばん底でたどりつくのは「かけがえのないいのち」でしょうね。いのち。水俣病というのは、そのいのちの差別とも言うべきことが何重にも起こった、そういう病として本当に特異な、重大な事件で、終わりようがないんです。まだ、今でも続いているんです。

編集部　ひとつ質問してもいいですか。「価値」とは「かけがえのない唯一のもの」ということですが、前回も前々回も、特に最後の、みなさんからのお話で、いのちの選別とか人の評価を、価値を比べて……つまり価値に程度の差をつけて行うことの問題が出てきたと思うんです。それとその「かけがえのない」っていう、ほかと比べようがない大事さということは、どういうふうに考えたらいいのか。

最首　そうですね。価値は測れるものなのかっていうことですよね。「かけがえのない」というのは、とにかく大事なものということ。ところが、人はその大事なものの中に序列をつけていくわけです。

……そうですねえ。文明の発祥の頃、「清らか」ということと「汚い」ということが出てくるんですね。神はみんな清らかなんですよ。「汚い神」っていうのは出てこない。一方で、人および動物は汚い。つまり、キリスト教では人は罪を背負っている。インドでは、日本の神道もそうですけども、人や動物につきまとう死とか血が忌み嫌われる。そういう、「汚い」あるいは「穢れている」っていう観念が入ってきた時に、「価値」が分かれてくるわけです。

そして、「清らかさ」は「汚さ」がないと維持できない。比べるものがないと清らかさの価値は保証されないんですね。日本の天皇もそうです。天皇の清らかさ、尊さに対して、「汚い人間」っていう捉え方が置かれる。被差別部落とかね。天皇制はそうやって続いてきました。

最初は清らかさも汚さもないはずだよね。何かを「清らか」「汚い」って思う意識なんてもともとはなかったはずでしょう？　でもやっぱり、汚いことで病気や何かが起こって、清潔が大事だとわかってくると、汚さの観念がだんだん定着してくる。

で、清らかさ、すなわち神聖さと、汚さ、すなわち穢れのあいだで、たとえばカーストのような身分の差が成り立っていくわけですが、清らかな神とけがれた人は、その外なんです。そこから外れちゃってる。だから、価値の程度の差、序列づけは、その外の、程度を超えた価値っていうのか、「絶対的な清らかさ」と「絶対的な汚さ」に基づいている。

殺生と漁民差別

最首　日本は仏教の影響で、特に奈良時代の頃から殺生がタブーになりました。それに関係する仕事をする人は穢れているとして差別されてきた。

そういう職業の代表は、まず屠殺。屠殺場で働く人たち。あるいは、動物の革で靴なんかをつくる皮革産業の人たちはみんな差別されました。うちの奥さんなんかも、広島の出で、１９４２年生まれですけども、そういう人たちを「四つ」って呼んでたって言いますね。それも、言葉で言わないで手で言う。こうやって、指で。四つっていうのは四つ足、獣のこと。その人たちが家に来て、玄関に入らずに、入っても土間で、本当に這いつくばっているのを見たそうです。

でも、殺生禁止で「殺すな」っていう生き物の中に野菜は入らないのね。私は、野菜も生き物だっていう思いを持つとね、不公平だって思う。たとえば大根おろしなんて、生きてる大根を拷問にかけてるみたいな。ごりごりごりごり（笑）。

みんな　（笑）

最首　そういうわけで、魚をとって殺す漁民も穢れをまとうとして、差別されました。さらに、水俣に行ってよくわかったんですが、農民と漁民は生活から何から確然と違う。漁民は夜に仕事をするんです。火を焚いて、漁やなんかの仕事をして、朝帰ってきて、お酒を飲んで寝るんですよ。それは水俣だけじゃないんです。

農民はずっと、過酷な税を課されて、生きられず死ねずというぎりぎりの生活を強いられてあえいできた。ところが漁民は、朝から酒飲んで暮らしてるように見える。自分たちは朝暗いうちから起きて、一日働いているのにって。そういうことがまた羨望の対象になり、差別の理由になっていったわけです。

水俣病差別の根にあるもの

最首　明治時代末、チッソ（当時は日本窒素肥料株式会社）という肥料をつくる会社が水俣に来て、工場をつくったんですね。そうして水俣は特異な世界になっていく。

水俣のある不知火海沿岸のような海岸べたの地域っていうのは、みんな貧しかったの。天草（＝天草諸島。不知火海を挟んで水俣と向かいあう）なんかは、江戸時代には罪人が流される島だったんですが、特に貧しかった。ところがチッソが来て、水俣だけが栄えていくわけですよ。それで複雑になってしまった。

当時の水俣はまさにチッソの城下町で、「チッソにあらずんば人にあらず」というくらいチッソが力を持っていた。それはもう大変な騒ぎでね。さっきのお話にもあったように、チッソは朝鮮に進出して、そっちに主力を置いて生産を続けたんですが、敗戦後に日本に引き揚げて、主力は水俣工場だけになった。そして戦後の復興で生産量もどんどん上がっていく。その頃から水俣病の被害が顕著になってくるわけです。ただし、アセトアルデヒドの生産を始めた昭和7年（1932年）あたりから、被害は始まっているはずです。

チッソの工場からの排水で毒されたプランクトンやなんかを魚が食べて、その魚を漁民がとって食べる。それで、戦後数年くらいから、まず鳥が落ち始めた。それからネコが狂って死んでいく。その次に人が、漁民が狂い始めた（＝水俣病による精神障害が出始めた）というので、まわりには「それ見たことか」っていう感情があったんですね。「根性が卑しいから畜生と同じような病気になるんだ」と。そこのところに隠然として漁民差別があった。これは非常に根深い。

水俣病患者への差別や否定はいろいろと複雑にからみあって出てくるんですが、この漁民差別が、水俣病を見る眼の深いところにありました。

国ぐるみで否定された水俣病

最首　昭和31年、1956年に水俣病がチッソの付属病院で「発見」されるんですが、原因はまだわからなかった。「原因不明の中枢神経疾患」ってことでね、奇病だ、伝染病じゃないかって、隔離病棟に入れられたりしている。それも差別の一因になりました。

その後、熊本大学の医学部が原因物質を探っていきます。チッソの工場からの排水だろうということはみんなわかってた。しかしチッソは殿様ですから、そう言えないんですよね。黙っている。チッソも否定する。国や県も、戦後の高度成長にさしかかる頃ですから、企業にはどんどん生産させたいわけ。だから総じて大企業のチッソの側についた。

編集部　水俣病が発見されたあとも、国はチッソに排水をやめさせないで放置していたんですよね。魚はどんどん死んでいくんだけど、国は漁も魚の販売も禁止しなかったから、みんな魚を食べ続けていた（1957年、熊本県は食品衛生法に基づき水俣湾の魚介類の販売を禁止しようとしたが、当時の厚生省が差し止めている）。

最首　そう。患者が続々と出る中でね、チッソは毒を無制限にたれ流し続けたんです。それで、原因としていろんな物質が疑われて、ついに有機水銀にたどりつくわけですけども、そこまでには非常に困難を極めました。

実はチッソはひそかにネコで実験をしていて、自分とこの排水が原因だってわかっていたんです。しかしそれを隠して、別の説をいろいろ出してきた。戦争の時に日本軍が海に捨てた爆薬のせいじゃないかとか。ふざけてるでしょう？　それから東京の清浦という有名な学者がアミン中毒って説（＝貝の腐った汁に含まれるアミン類の中毒とする説）を持ちだした。ほかの学者も「漁民が腐った魚を食ったからだ」なんてことを言って、マスコミも騒いでね。漁民は怒るわけですよ。「俺たちが腐った魚を食うことがあるか」って。それはそうでしょう。漁民こそ新鮮な魚を食べてるわけです。これは本当に罪深いことで、まったく証拠がないのにそう言ったんです。

それからもう、チッソの最大の罪のひとつがね……。さすがに国もチッソに命じて排水の経路を変えさせて、浄化設備をすぐにつけるよう言ったんです。それで、サイクレーターっていう浄化装置ができた時に、鳴り物入りでね、社長が県知事やマスコミやなんかの前でその水を飲んでみせた。ところがそれはただの水だったっていうことがあとでばれたんです。浄化といっても限られていて、メチル水銀除去なんてとんでもないっていう代物だった。……そういうことの繰り返しです。そういうチッソを官庁、政権、国家そのものが後押しする。

編集部　確か、その少し前に漁民がチッソに押しかけたんですよね。

最首　そう。補償金とか、浄化装置を要求して、チッソの工場に乱入してね、機動隊が出て流血沙汰になって、漁民が逮捕されています。

そんな状況で、チッソは見舞金契約（１１９ページ参照）を患者家庭互助会に示し、患者たちは涙をのんでそれを受け入れたのです。この契約はさっきの説明にもあったとおり、のちに裁判で「公序良俗に反する契約だ」として撤回されますが。だって、そうでしょう。「あとでチッソが原因だってわかっても、私たちはこれ以上何も要求しません」って書類に書いて、それにはんこを押させたんですからね。

それで、数年後に新潟でも水俣病が発生して、患者たちが裁判を起こします。その新潟の患者たちが水俣に来てね、力づけられて、１９６９年、水俣の患者たちもチッソを相手にとうとう裁判を起こした。一方、１９７１年末には川本輝夫っていう、父親を水俣病で亡くした運動家を先頭に「自主交渉派」の患者たちが東京に来て、チッソの本社前で座りこみを始めたんです。そこに石牟礼道子さんも加わった。

裁判のほうは、患者や家族たちの大変な努力の末に、１９７３年３月に患者勝訴の判決が出ます。その後、裁判をしていた「訴訟派」は、1年半ものあいだ座りこみを続けていた自主交渉派と合流して、チッソと補償協定を結んだんです。

しかしそれで一件落着ではまったくなくて、数年後にまた、環境庁（＝現在の環境省）は患者の認定基準をすごく厳しくしてしまう。そういうことの繰り返しです。

水俣病の患者たちは国ぐるみで否定された。それを石牟礼道子さんは「棄民」という言葉で表現しました。民を棄てる。これほど大規模な棄民はなかったと。政権はずっと、水俣病に対して本当に冷淡でした。裁判や市民運動は今も続いています。

石牟礼道子が伝えた水俣

差別のまっただなかを

最首　**石牟礼道子**は天草の生まれですが、もとは水俣の一家でしてね、生後まもなく水俣に戻った。しかし小学校の時におじいさんが事業に失敗してしまって、家をとられて、一家は水俣川の川っぷちに住み始めました。漁師町の近く、差別のまっただなかをね。

石牟礼道子（1927年〜2018年）
小説家、詩人。20歳で結婚し、家事をしながら短歌や詩を創作。福岡県筑豊炭鉱の文芸誌「サークル村」に参加し、聞き書きの手法を知る。1968年、水俣病対策市民会議を結成。翌年、水俣病患者の生きる姿と闘いを方言を生かした聞き書きの形で描いた『苦海浄土　わが水俣病』を刊行。以後、患者の救済運動に身を投じながら、『椿の海の記』『あやとりの記』『十六夜橋』など水俣や天草、不知火海とそこに生きる人々を描く小説や詩・短歌・俳句などを書き続けた。

家の少し離れた隣に、伝染病の人を隔離する長屋があったそうです。「避病院」って呼ばれていた、すごく粗末な、足元は地面そのままで草が生えてるような小屋。そばを通る時はみんな息をとめて駆け抜けたと石牟礼さんが書いています。のちにはそこに、「奇病」って言われていた水俣病患者も入れられていた、と。

そしてすぐ先の、石牟礼さんの家から見える海辺には死体を焼く焼き場、火葬場もあった。人が死ぬっていうのは不浄とされるからね、死体を焼く職業は「隠亡さん」って呼ばれて、屠殺の仕事と同じように差別されてました。

編集部　水俣病そのものに対する差別もすごくあったわけですよね。神経が侵されてしゃべり方や歩き方、動作も変わってしまうし、精神障害が出ることもある。

最首　それは、患者に対する差別はものすごいものでした。水俣病患者が触ったお金は受けとらないとか、おつりをうちわに乗せてよこすとか、そういう差別が本当に起こった。観光バスも、水俣を通る時はみんな窓を閉めて、息をひそめて通り抜けたっていうんですよね。そのぐらいみんな怖がっていた。

石牟礼さんはそこのところを……ひとつは「棄民」っていう、国家は民を棄てるのかっていう抗議と、それから、水俣病の苦しみ、差別の苦しみにあった人たちの世界に踏みこんで、その世界を書いていくわけです。そして自分の天性の才能で、幻想のような、アニミズム（＝自然界のあらゆる事物に霊魂が宿っていると感じ、それを信仰すること）の世界へと融合させていったのです。

今、差別は身近にある？

最首　みなさんは「差別」って、どうでしょう。差別っていう言葉は身近？　授業でやったり、実際にまわりにあったりしますか？

せん　現実の世界で「差別的」って思われるようなことを言うと、人からいろいろ言われるから、そういうことはまずネットで言うというのが今の社会の傾向なのかなと思います。ネット社会とリアル社会が分かれてる。だから、ネットから差別が生まれて、それがリアル社会に持ちこまれると、突然すごい（差別的な）人が現れたみたいに思うけど、そういう差別意識はリアルの日常の中にもひそんでいるという感覚がすごくあります。

最首　対象としては、たとえばどういうものに対する差別？

せん　前にジャーナリストの方と話す機会をいただいたんですけど、その方は在日コリアンへの差別や、ヘイトスピーチに対して声を上げている方だった。そういう差別があるということは知りながらも、ぼく自身の日常レベルでは、あんまり感じることはないですね……。

のぶき　私も、やっぱり身近にはそんなになくて、ニュースとかで見るくらいです。せんさんが言ったみたいに、ネットで差別的なことを言っている人たちがいるらしいとは知っているんですけど、自分はネットをほとんどやらないので、どうしてもやっぱり、自分の日常からはちょっと距離のあるものという印象です。

最首　学校でも、差別はない。

のぶき　ないです。

編集部　……私は長野県の出身で、70年代の生まれですけど、部落差別についての授業が小学校でありました。身近には被差別部落はなかったと思うんですけど、かってはあったとか、隣の市のあそこはそうだったらしいとか、そういうことを結構リアルに感じてましたね。境界線を引いて、なんか、意識が立つ感じ。地域による違いも大きいと思いますが、今もなくなってはいないはずです。

水俣にかかわっていく

最首　1968年の9月、水俣病が公害病と認定されました。で、翌年の1月に石牟礼さんの『苦海浄土』という本が出たんです。私は水俣病のことをほとんど知らなかったんですが、1976年に**不知火海総合学術調査団**が発足して、そのメンバーになってくれと映画監督の土本典昭さんに言われてね。土本さんは水俣病の画期的なルポルタージュを撮り続けた人です。

不知火海総合学術調査団

水俣を中心に不知火海域でフィールドワークを行い、水俣病について総合的な調査をした研究者の集団。石牟礼道子の強い要請を受けて発足。第1次調査団は1976年～（団長は色川大吉）、第2次調査団は81年～（団長は最首悟）。社会学・政治学・哲学・生物学・医学など多様な研究者が参加し、継続的に滞在して聞きとり調査などを行った。それまでの水俣病の調査研究は医学が中心だったが、この調査は生活や自然環境を含めた人間・自然・社会の全体を捉えることをめざし、近代工業社会への批判ともなって、以後の水俣病研究に影響を与えた。第1次調査の結果が『水俣の啓示——不知火海総合調査報告』（色川大吉編、上下巻、1983年、のち新編、1995年、筑摩書房）にまとめられている。

私は最初はお断りしたんですが、その年の12月に石牟礼道子さんが東京に出てきてね、「最首さん、お願いします」って言われて。もう断れるわけがないような圧力というか、すごさがあってね。石牟礼さんっていうのは本当に優しい人なんですよ。口調も優しくて、それで「お願いします」と言われたら、もう金縛りにあったようで、「はい」としか言いようがなくてね。77年の春から水俣に通い始めました。第1次調査では私は、女島というところの、シベリアに抑留されて帰ってきた網元の話をずうっと聞き書きしました。

石牟礼さんには「調査団は100年続けてください」と言われていました。

石牟礼道子が書いた水俣

最首　水俣へ行くと、最初に必ず石牟礼さんのうちに行って歓待を受けるんです。

「魂入れの式」って呼ばれてまして、要するに、水俣はアニミズムの世界だと。山も川も海もみんな魂を持っている。森羅万象あらゆるものが生きて、いのちを持っている。水俣の自然っていうのは本当にそんな感じなんです。そういうアニミズムの世界へよく来てくださったと言って、ごちそうやお酒がふるまわれる。

しかし、「アニミズムなんて非科学的なもの、とんでもない」って考えて、招待に応えない教授たちもいました。でも私は、石牟礼さんに会ってしまったおかげでね……。

水俣の、森羅万象に魂がある、いのちがあるっていうアニミズムの世界。そこに石牟礼さんは自分の幻想と経験、そして水俣の漁民の世界を重ねて書いていった。その出発点が『苦海浄土』という本です。この作品は基本的には事実に基づいていますけども、「これは文学だ、患者の言葉も全部石牟礼道子の創作だ」っていう批評もあってね。石牟礼さんを支持する人や身近な人たちも、それは半ば認めているんです。でも、石牟礼さん自身は「私は患者さんが言ってることをそのまま書いてるだけだ」って主張する。「患者さんの言葉は、自分は覚えようとしてるわけじゃなくて、テープレコーダーみたいに頭に入ってきてしまう。それをそのまま書いているだけだ」って私に直接話してくれたこともあります。

ルポルタージュとも文学的創作とも、どっちとも言い切れないけども、水俣の漁民の苦しみ、水俣病にかかった人たちの苦しみっていうものをこれほどまでに描いた作品が、しかも最初に出てきたわけですからね。世間にそれは大変な衝撃を与えました。

1984年に出した私の最初の本は『生あるものはみなこの海に染まり』(新曜社)といいます。「この海」っていうのは不知火海のこと。いのち湧く海という思いをこめています。こういう見方は石牟礼さんの影響であり、おかげですね。

みっちんとおもかさまが交わっていく世界

最首　石牟礼さんの文学はやっぱり、貧しさ、そして苦しみが基盤になっている。水俣病の人々の苦しみを、自分の境遇とも重ねながら、一緒に体験したというかね。その苦しみの極限を、受けとって、受けとめて、立ち会った。その上で、そこから出てくるのが、森羅万象がともに生きる世界。その豊かさを描こうとしたんですね。すべてのもののいのちがさざめく、本当にすごい世界を。

石牟礼さんの弟さんは自殺しています。おばあさんは「おもかさま」と呼ばれていて、目の見えない、狂ってしまった人だった。昭和6年(1931年)に天皇が水俣のチッソの工場に来るというので、天皇の目に触れさせるべきでない人や、天皇に危害を加えそうな人をみんな、恋路島っていう島に隔離することになった。その中にこのおもかさまも入っていたんです。ところが、石牟礼道子のお父さんが敢然と反抗してね、「もし義母が何か起こしたら私が切腹する」って言って、それでおもかさまは島に隔離されずに、天皇が来ているあいだ、家の戸を釘で打ちつけた中に閉じこめられていたそうです。

そういうおもかさまと、幼子である自分。その2つが結びついて彼女の作品の舞台がつくられるんですね。目の見えない、精神を病んだおばあさんと幼子の見る世界が、石牟礼道子の世界となって展開する。

『あやとりの記』という児童文学の作品があります。みっちんという、幼い石牟礼道子のような子どもが、おもかさまとか、火葬場で死体を焼くじいさんとか、片目、片足といった、世間では隅に追いやられるような、石牟礼さんは「すこし神さまになりかけているような」と書くんですが、そういう人たちに導かれてね。動物も自然も全部が魂を持った世界の中に交わっていくんです。そこでは魂が入れ替わったり、魂だけのものの歌う声が聞こえたりする。そういう、森羅万象が流れ混じりあって交流、交感する、なんと言うのか……いのちそのもののふるさとのような世界が描かれている。

言葉を焚く、自分を焚く

最首　不知火の海と、海とつながる空、天というものが、石牟礼道子にとって非常に大事だった。彼女の俳句に「祈るべき天とおもえど天の病む」というのがある。海と天はつながっていて、侵された海の病が天のほうへ流れ入っていくという句です。

あとは、そうですね……。「さくらさくら」、これはひらがなでね、「さくらさくらわが不知火はひかり凪」っていう句もあります。「ひかり凪」というのは、風がやんで波がなくなって、海が1枚の板のようになってしまう。よく見ると、小さなさざ波がずうっと起こっている。見わたす限りの海の板が空の光を反射して、光っている。そんな光景です。

水俣を書く石牟礼さんの覚悟というのはね、……水俣病患者の極限の苦しみの中で、自分は「ことばを焚いてきた」と言う。言葉を「紡ぐ」んじゃない。「焚く」んです。そしてね、言葉が立ち昇らなくなったら、自分を焚くって言うんです。自分を焚く。すごいですよね。そういう生半ではない覚悟の下に水俣を書いていた。

いのちと価値のあいだ

あなたのあなたとしての私

編集部　星子さんが生まれて、その翌年の1977年に最首さんは水俣に行き始めたんですよね。この2つのことは、やはりかかわりがあるのでしょうか。

最首　それはもう、本当にありますね。「星子とともに」というところから「いのち」の捉え方をふくらませていくことは、水俣がなかったらできなかった。自然界のすべてがいのちを持っているという思いは、水俣で、石牟礼さんから受けとったものです。

そしてここ10年くらいのあいだにだんだん言葉になってきたのが、「あなた」ということ。山川草木波頭、森羅万象が「あなた」という世界です。「あなた」っていうのは二人称の相手を指す言葉ですが、日本語にはニュートラルな二人称の言葉がないんですよね。英語のyouは特別な匂いのない、単純に相手を指す言葉でしょ。そして二人称はyouしかない。でも、日本語には「きみ」とか「おまえ」とか、相手を指す言葉がたくさんあって、いくらでも出てきちゃう。その中でいちばんニュートラルな言い方が「あなた」だと思いますが、「あなた」って言ったとたんに、相手をちょっと上に持ちあげる、相手を立てるニュアンスが出てくる。

そして、「あなたのあなた」という言い方があるんですね。あなたにとってのあなた、つまり「私」のことです。森有正という、フランスに移住してフランスで死んだ哲学者の表現です。

森有正は、フランスから日本を見て、日本人の「私」は「あなたのあなたとしての私」だと言いました。「あなた」にいつも振り回されてしまう私。相手によってそのつど意見を変える私。そういう首尾一貫性のない「私」だ。個人が確立できていなくて、権威や目上の人にはすぐ同調してしまう。だから日本人はだめだ、信用されないって言うんですね（「日本人の心」『土の器に』日本基督教団出版局、１９７６年）。

これは私も「そのとおりだな」とずっと思っていたんですけども、今は少し別の見方をしていてね。つまり、私が「あなた」と呼びかける時、私はあなたを尊重して、立てている。そしてあなたも私を「あなた」と呼んで、私を立てているだろう。そうすると、「あなたのあなた」としての私は、あなたを立てると同時に、あなたに立てられている。そういう相互的な関係にある。そして私はあなたを頼り、あなたに頼られている。最初の回でお話しした「頼り頼られるはひとつのこと」です。

……とはいっても、あるひとりの人にべたーっと依存する、のみこまれるというのではなくてね。あくまで私は私なのですが、どうも「私」というのは単数だって気がしないんだな。かといって複数でもなく、ひとり以上ふたり未満という感じ。

そのつどのあなたに頼り、頼られることで私がいる。そのあなたが石ころでも、虫けらでも、あるいは星子のような、どんなに弱い存在でもね。私は石ころを立てて、石ころも私を立ててくれる。そういう、二者を出発点とするネットワーク。その中で、すべてのものがそれぞれに頼り、頼られながら生きている。そのような場の共同性、共生ということが私たちの根本なのではないか。石牟礼さんが『あやとりの記』で描いた世界は、まさにそういう世界だと思うんです。

そういう思いでね、私は「二者性」ということを言っています。言ってるのは私ひとりだけですけど（笑）。

自然と人間はつながっている

最首　もうひとつ、みなさんに考えてほしいのは、明治時代になるまで「自然」という言葉に今のような意味はなかったということ。つまり、自然と人間を分けて見るような見方がなくて、連続するものとして見ていたということです。

それまでの「自然」は「じねん」とも発音していて、これは「おのずからそうである」という意味だった。森羅万象がおのずから生まれ、あるがままである様子をいう言葉だったの。それが、明治期にnatureの訳語として「自然」という言葉が使われるようになって、次第に、自然と人間は断ち切れたものだ、そして人間には自然を管理する義務があるんだという、自然を対象として見る西欧の考え方が入ってくるわけです。

でもやっぱり私はね、私たちの思い方、情のあり方には今もなお、自然と人間はつながっている、連続体だっていう感覚があると思う。すべてのものが魂を、心を持っているっていうアニミズムが根にあると思う。そのアニミズムを回復しましょうというのが、石牟礼道子であるわけですね。「冗談じゃない」「アニミズムなんてとんでもない」っていう声がわーっと返ってきそうですけど、「そこまでいかないと、水俣病というのは本当には解決しませんよ」というのが石牟礼道子のメッセージだと思うんですね。そう言っている気がする。そして「水俣病を解決しないかぎり、幸せなんて来ない」って。

「私」の価値と生きることの価値

編集部　だいぶ時間が過ぎてしまいました。みなさん、今日のお話を聴いて思ったことや感じたこと、話してみていただけますか？

せん　最後のお話で、ここまでの４回のお話が全部つながったって感じました。ひとつ聞きたいことがあって、最首さんの「二者性」っていう考え方をもとに「私」を捉え直した時に、……私とあなたのあいだにすでに場があって、私は孤独ではないっていう感覚は自分にもあるんですけど、ただ、そこで「私の価値」を捉え直そうとすると、どうなるのか。つまり、「個人」という意識というか、枠組みがない状態で、「私の価値」というものは存在するのか。場に対して価値がある、ということになるのか。最首さんはどう考えるでしょうか。

最首　……価値ということへの意識、つまり、価値にとらわれるということ自体が、なぜなのか。「自分に価値があるだろうか」という問いはどこから、どうして出てくるんだろう。

それ以前のこととというかね。生きているということだけがある。その中で、私たちはいろんな思い、感情を育んできて、そして、なぜかわからないけども毎日目が覚めて、ごはんを食べて、遊んで、働いて、寝て、暮らしている。それを「価値」

と言うのかというと、価値以前のことのようでね。

毎日寝る時に「明日の朝、目が覚めなかったらどうしよう」なんていう不安は普通はなくて、寝たら自然に起きちゃうんですね。「そのこと自体が価値なんだ」と言えば言えるかもしれないけど、でも私は、それを価値と言うのは重荷のように感じられることもある。

つまり、自分で自分を殺したいと思った時に、自分の首を自分で絞めて殺すということはどうしてもできないんですね。自殺というのは、何かほかの力を使って、薬を飲んでとか、ぶら下がってとか、飛び降りてたたきつけられてとか、ともかく何かを使わなければできない。生きているということは自分では終わらせることができないんですね。そういう、人の力ではどうしようもないことを「価値」と言うのか。むしろ、価値の源泉のようなものが「生きる」ということではないか。こうやって生きている。何か、わからないけれども、呼吸をして、心臓が動いてね。しかも私のようにぜん息と慢性気管支炎なんかが重なると、本当に息するのも、それは大変なんですけれども、でもそれも価値かなあ。その苦しみも価値かなって。「生きることに価値がある」と言ってもあんまり意味がない。じゃあそれと比べて「価値がない」ことはなんなんだって考えても、何も出てこないのでね。つまり、生きるということ、いのちということの中には死ぬことも含まれているんだから。

せん ……ならば、生きてみなければわからない、っていうことでしょうか。

最首 そうですね。そして死んでも生きてるんでしょうね（笑）。死というのは一時の段階で、生も死もすべていのちの中のことなんだよね。「生きる」っていうことはそのぐらいのことを言わないと、なかなかねえ、つかまえられない。死んでも生きてるっていうのはおかしいけどね（笑）。

いのちの価値について考え続ける

りこ 今、「生きること」と「価値」っていうキーワードで話してくださったことって、それこそ本当に答えが出ないことで、……いのち自体に価値があるから生きていくのか、それとも、価値があろうとなかろうと関係なく生きていくのか……生きる理由と「価値」というものはまったく別のものとしてあるんだって考えるかは、どこかに確かな答えがあるものではないんだなって、聴きながら思っていました。

私自身、4回を通してずっと疑問が増えていくような感じで、「あいだにいる」とか「あいだで考える」ということが、それは逃げのようにも聞こえるけど、むしろ両極のどちらかに立場を置くより難しいことなのかなって思った。

それから、んー、価値自体を遠ざけていくのか、あるいは価値を測る物差しを自分の中でより豊かにしていくのか、その違いがあるのかなって思ったんですけど、ちょっとあんまりまとまってない……。

編集部 ん？ もう1回。

りこ なんて言ったらいいんだろう……たとえば、自分が人を、どうしても物差しをあてて見て、測ってしまう。でもそれは自分の経験をもとに見える範囲(はんい)の、自分が持っている物差しでしかなくて、自分に見えない範囲のことは考えられていない。だから、学ぶことや考えること、人と話すことで、その物差しをより広げていく、つまり自分の中の価値を増やしていくことで、限られた物差しで人を測って切り捨てたり判断したりしないようにしていくのか、それとも、そもそも価値自体を遠ざけていくのか。

編集部 「価値」っていう考え方自体を。つまり、そもそもそれがあるから、人や存在に優劣(ゆうれつ)をつけて、価値が高いとか低いとか考えてしまうわけだから……。

りこ そうそう。「ただそこにいるだけで意味があるんだ」っていうふうに言っていくのか。そういう違いがあるのかなって……。どちらがいいというのではなくて、どちらもあるのかなっていうふうに思った。

最首　りこさんも問学になってきたね（笑）。どんどん疑問が増えてる。

りこ　（笑）……4回を通して、なんだろう、「いのちが大事だ」っていう、普遍だと信じきってた考えに問いをかけていくような時間だったのかなって思う。

　でも、現実、目の前に起きてることには、曖昧なままじゃだめなことはやっぱりあって、目の前で、いのちの価値が揺るがされるような出来事が起こるかもしれないし、もしかしたら今も隣に、……なんて言うんだろう、自分の命に投げやりに？　息の詰まるような思いで生きてる人がいるかもしれないし、自分自身が自分の死に直面していくこともありうるから、それに対して応答できるようになっていかなきゃなっていう感じもある。だから、いのちの価値ということは考え続けなければいけないことなんだって、すごく思いました。

せん　……そもそも「価値」っていう捉え方が、西洋的な考え方に基づいてつくりだされたものなのだとしたら、私たちはそこに始まりを置いていないから、価値という概念自体を否定することもできてしまうかもしれない。でも、西洋的な考え方が社会にしみわたっている中で、やっぱり「価値」に基づいた評価をまわりから受けてしまうっていう現実があって、だから、その価値の問題をないものとして考えることはできないなっていう気持ちがあって。

編集部　うんうん。確かに。

せん　うん。少なくとも、自分の中にある価値の物差しには働きかけられるから、りこが言ってた、見えていないことを見ようとすること、学ぶ姿勢っていうことで抗(あらが)っていけるのかなって思いつつ……っていう感じですね。

めぐりめぐって、どこかでまた

のぶき　私の母は、私を産む前に3回、流産をしているんですよ。でも私はその話を聴いた時、そういう事実があったことにはびっくりしたんですけど、「悲しい」とはあんまり思わなかったんです。……それで、ふだんかかわっていない遠い親戚(しんせき)とかならまだしも、同じ親から生まれて、もしかしたら一緒に暮らしたかもしれないいのちなのに、なんで悲しくないんだろうと思って……。自分が「尊重すべきだ」って思っているはずのいのちの定義が、自分でもわからなくなってしまって。

親が言うには、「流産したといっても、魚みたいな状態だった。まだ人間の形になってなかった」ということなんですけど、それでも一応いのちには変わりないのに、悲しくなかったのはなんでかなって思ってた。

でも今回のお話を聴いて、私の中にも無意識に、さっき最首さんがおっしゃっていた「死んでもなお生きている」みたいな意識があったんじゃないかなと思いました。めぐりめぐって、どこかでまた自分に関係するんじゃないかって思っていたのかもしれないなって。

最首　ああー。めぐりめぐってね。そうですね……。

みんなに話を聴いてもらって、話してもらって、いい時間でした。ありがとうございました。また、本ができたらいっぺん会いましょう。

編集部　そうですね！　回を追うごとに打ち解けて、いろいろ話せるようになったし、またぜひ続きを、いつか。みなさん、ありがとうございました。

みんな　ありがとうございました。

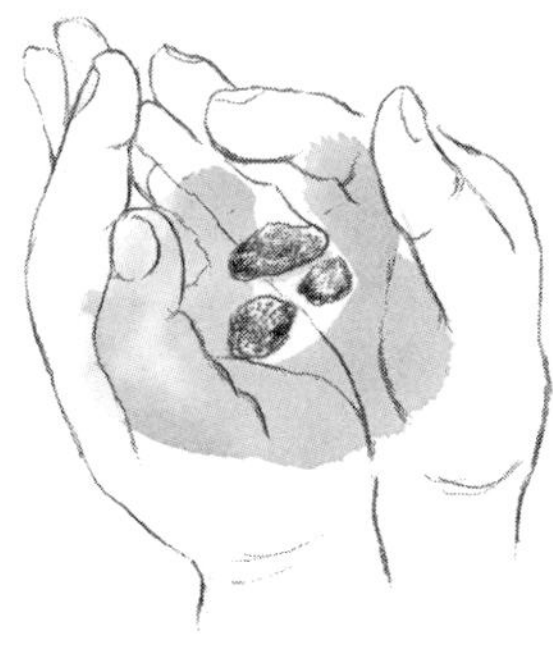

おわりに

「世代の壁」をあまり意識せずに、話すことができました。のぶきさん、りこさん、せんさん、ありがとうございました。

なかなか、きちんと話すことができません。でも、あれやこれやと話したり考えたりするうちに、言葉がやってくることがあります。

「星子がひらめきのようにやってきた」。星子が生まれた時、私は40歳直前でした。〈ひらめき〉とはそれまで使ったことのない言葉でした。

星子が居るようになってからやってきた言葉に、〈内発的義務〉があります。「世界にたったひとりいるとせよ。その人に権利はなく、ただ義務のみがある」。シモーヌ・ヴェイユという、若くして亡くなったフランスの哲学者の言葉です。権利の前にまず、人に対する義務がある。たとえば飢えている人を放置しない義務があるとヴェイユは言います。そこから〈内発的義務〉という言葉がやってきました。おくるみに包まれた赤ん坊が道端に置かれて泣いていたら、誰しも抱きあげるだろう。やらねばと思う前に、そうしてしまう。本能に近い内発的義務の発露です。

人をなぜ「人間」と呼ぶのだろう。気になりだしたのは70歳になろうかというという頃です。「人間到る処青山あり」とは釈月性というお坊さんが江戸時代末期に詠んだ漢詩の中の言葉ですが、この「人間」は「じんかん」と読んで、人の住む場のことです。ここから〈場に居る〉という言い方がやってきて、すでに出していた『星子が居る』という本に結びつきました。

場について考えていくうちに、〈二者性〉という言葉が訪れました。そして〈二者性〉から〈頼り頼られるはひとつのこと〉が、おのずと生まれ出てきました。

〈わからない〉がでんと行く手に待ちかまえている状態で、あれこれと考えていると、思いがけない言葉がやってくるのです。

GUIDE

いのちと価値のあいだを
もっと考えるための作品案内

本文に出てきた本や、本文で考えたことをさらに考えるためのおすすめの本や作品です。（編集部作成）

＊翻訳書は主なものを挙げました。また、書店で見つからない本は図書館などで探してみてください。

●第1回

星子が居る　言葉なく語りかける重複障害の娘との20年　最首悟著（世織書房、1998年）

星子さんが5～20歳の約16年間に最首さんが書き綴った文章や講演録を46編収録。星子さんの障害や生活の日ごとの変化を書きとめ、「生きる」ことの本質を考えてゆく。「障害児を普通学校へ・全国連絡会」に長くかかわった立場から、教育や学校、共生に関する文章も多い。

おひさま　わらった　きくちちき作（JULA出版局発行、フレーベル館発売、2021年）

本書の絵を描いた中井敦子さんが、自他未分の子どもの世界を表す1冊として推薦する絵本。ひとりの子どもが散歩に出かけ、自然や動物と交わり溶けあってゆく様子が、その子自身の視点からダイナミックに描かれる。

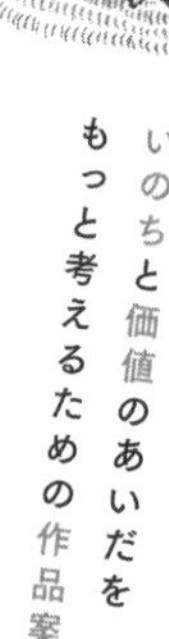

風土の日本　自然と文化の通態　オギュスタン・ベルク著、篠田勝英訳（ちくま学芸文庫、1992年）＊原著は1986年、日本語訳初版は1988年（筑摩書房）。

和辻哲郎の『風土』（1935年初版。現在は岩波文庫で読める）を批判的に受け継いだ風土論。フランス語原著では「風土」を「milieu（あいだの場所）」と表現している。

「世間」とは何か　阿部謹也著（講談社現代新書、1995年）

古代以来の日本で「世間」がどう捉えられてきたか、文学などの中にたどる1冊。序章で、「社会」「個人」の概念は明治時代に翻訳語として初めて導入され、それまで使われていた「世の中」「世」「世間」などの言葉は欧米の「社会（society）」とは異なること、日本での「個人」は世間との関係でつくられ、曖昧であることなどが述べられる。

「空気」と「世間」　鴻上尚史著（講談社現代新書、2009年）

「KY（空気読めない）」は今では死語かもしれないが、「空気を読む」圧力はもはや当然のものになっているかもしれない。著者は「『空気』とは『世間』が流動化したもの」と捉え、右の阿部謹也の著作などをもとに「空気」を現代の感覚で解説。それらに息が詰まるなら、異質なものや多様性に出会う「社会」へとはみ出すこと、

また複数の共同体に属することを勧める。

市民政府論　ジョン・ロック著、角田安正訳（光文社古典新訳文庫、2011年）＊原著は1690年。市民社会の成立を支えた重要な書物。国家は君主のものではなく、人民の生命・財産・自由への権利を守るためのものだとし、政府が権利を侵す時の人民の革命権を認める。もとは2編に分かれ、この版は第2編のみの訳。

●第2回

〈弱さ〉のちから　ホスピタブルな光景　鷲田清一著（講談社学術文庫、2014年）＊初版は2001年（講談社）。尼僧かつ看護師、絶叫歌人、教師、建築、生け花、ゲイバー、健康ランドなど多様な場で他者とかかわる13人を訪ね、ケアする側がケアされる側にときに深くケアされ返す〈ホスピタブルな光景〉に出会ってゆく。人は他者の弱さによって「自分をほどいていく自由」にひらかれる。

多元化する「能力」と日本社会　ハイパー・メリトクラシー化の中で　本田由紀著（NTT出版、2005年）「メリトクラシー」は「能力主義」「業績主義」などと訳される英語。コミュニケーション力や協調性、意欲、個性なども評価の対象とする新たな能力主義を著者は「ハイパー・メリトクラシー」と名づける。専門書だが、日本の能力主義の流れを追う序章だけでも参考になる。

増補新版　人間の条件　そんなものない　立岩真也著（よりみちパン!セ、新曜社、2018年）＊初版は2010年（理論社）。「できること」（≒能力があること）と「できないこと」（≒たとえば、障害を持つこと）について順を追って徹底的に考えてゆく本。ぜひ読んでほしい1冊。まず327ページ〜の社納葉子さんによるインタビュー「『できる』ことは人間の『価値』ではない」を読むのもいいかもしれない。

相模原事件とヘイトクライム　保坂展人著（岩波ブックレット、2016年）2016年7月の津久井やまゆり園事件に衝撃を受けた著者（当時の東京都世田谷区長）が、わずか3か月余で緊急出版した本。障害当事者が事件をどう受けとめたかをインタビューし、優生思想とナチスのT4作戦を解説。

いのちの言の葉　やまゆり園事件・植松聖死刑囚へ生きる意味を問い続けた60通　最首悟著（春秋社、2023年）

最首さんが「植松青年」に宛てて書き、『神奈川新聞』のニュースサイトに連載した60通の手紙を収録。

障害者ってだれのこと？「わからない」からはじめよう 荒井裕樹著（中学生の質問箱、平凡社、2022年）

「障害者文化」を研究する著者が、障害、障害者、差別とは何かをわかりやすくほぐし、考えていく。戦後、傷痍軍人への保障のために障害者福祉の制度が生まれたこと、70年代に脳性まひ当事者団体「青い芝の会」が展開した運動など具体的な紹介も多く、すごくおもしろい。

なぜ人と人は支え合うのか「障害」から考える 渡辺一史著（ちくまプリマー新書、2018年）

映画化もされた『こんな夜更けにバナナかよ』（北海道新聞社、2003年）の著者の1冊。重度身体障害者との多様な（多くは驚かされる）エピソードを読むと、「障害者」「弱者」「自立」などへの固定観念がひっくり返される。津久井やまゆり園事件にも触れ、最首さんも随所に登場。

母よ！殺すな 横塚晃一著（生活書院、2007年）＊初版は1975年（すずさわ書店）。

脳性まひ当事者の「青い芝の会」で活動した著者の文章（口述筆記）や、同会の記録映画『さようならCP』（原一男監督・撮影、1972年）のシナリオなどを収録。障害者たち自身が、世間の反発を受けながらも差別を告発し、社会を変えようとした生々しい過程が伝わる。

いのちの選択 今、考えたい脳死・臓器移植 小松美彦、市野川容孝、田中智彦編（岩波ブックレット、2010年）

2009年の臓器移植法改定を受け、その内容への強い危機感から出版された本。脳死・臓器移植のくわしい説明と、実際に臓器提供をした脳死者の遺族のインタビュー、学者や医師14名からの声を掲載。臓器移植法とその成立の背景、もたらす事態を具体的に理解できる。

語りかける身体 看護ケアの現象学 西村ユミ著（講談社学術文庫、2018年）＊初版は2001年（ゆみる出版）。

植物状態患者のケアに携わる看護師へのインタビューをもとに、植物状態の人とのかかわり・交流を「現象学」の手法で丁寧に書きとり、分析した本。著者自身が看護師。第二章「看護経験の語り」はぜひ読んでみて。

未来倫理 戸谷洋志著（集英社新書、2023年）

気候変動や放射性廃棄物の処理などでは、現在世代の行動が未来世代に大きな影響を及ぼす。その「責任」をどう考えたらよいのか。一般読者向けの思考のガイド。

●第3回

「#旧優生保護法」タグつき記事 NHK福祉情報サイトハートネット（日本放送協会）

1996年まで施行されていた優生保護法とその背後にある優生思想の説明や、同法の被害者・関係者の証言を多数掲載。「旧優生保護法ってなに？」（2018年5月30日）をまず読んでみよう。

忘れられた日本人　宮本常一著（岩波文庫、1984年）＊初版は1960年（未來社）。

昭和時代前半に日本中を歩いて集めた民間伝承や生活の様子を記録した本。冒頭の2編での村の寄り合いの様子は、本書85ページの「町内会の話し合い」を連想させる。その他の話からも昔ながらの共同体の姿が伝わる。

方法序説　デカルト著、谷川多佳子訳（岩波文庫、1997年）＊原著は1637年。

「私は考える、ゆえに私は在る」で有名な書物。人間の理性の明証性（それは神に由来する）が真理の根拠だとし、精神と物質（自然）をはっきりと分ける西欧近代の世界観を表した。第6部に「（この哲学によって）われわれをいわば自然の主人にして所有者たらしめる」とある。

日本語に主語はいらない　百年の誤謬を正す　金谷武洋著（講談社選書メチエ、2002年）

カナダの大学で日本語を教える著者が、従来の日本語文法は役に立たない！と痛感し、「日本語には主語は不要だ」と主張した本。**『象は鼻が長い』**（1960年）などで有名な文法学者、三上章の説を継承している。「主語」の概念は明治時代に英文法にならって日本語文法に導入され、それを文部省が学校文法とした経緯も紹介。

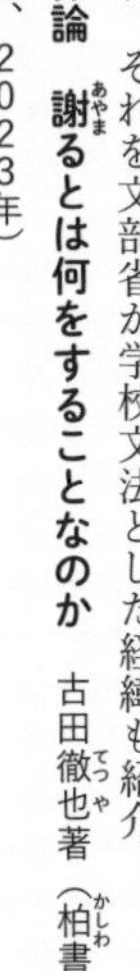

謝罪論　謝るとは何をすることなのか　古田徹也著（柏書房、2023年）

「謝罪とは何か」を責任、償い、赦し、誠意、修復などとともに考える。「謝罪はコミュニケーションの起点となる」と著者は言う。「すみません」について、また過去の侵略などを後続世代が謝罪することについても考察される。

決定版　日本という国　小熊英二著（よりみちパン！セ、新曜社、2018年）＊初版は2006年。

明治時代の福沢諭吉の脱亜論、明治から昭和にかけての学歴社会の成立、そして第二次世界大戦後のアジア諸国の戦後賠償問題（&その背景となった日米関係）をこの上なく簡潔に、わかりやすく伝える本。「そうだったのか！」と、この本を手がかりにいろいろ知りたくなるはず。

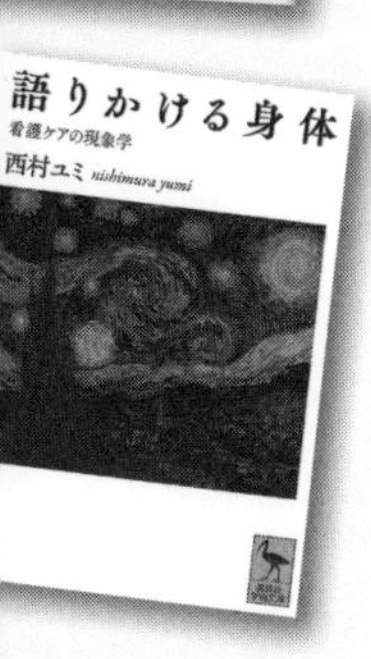

美しい日本の私　その序説　川端康成著（講談社現代新書、1969年）

1968年、日本人初のノーベル文学賞受賞時の講演。古来の和歌などを引きつつ、日本の美と無、それを感受する日本人の心性を語る。角川ソフィア文庫などもある。

あいまいな日本の私　大江健三郎（岩波新書、1995年）

1994年、川端に続くノーベル文学賞受賞記念講演。川端の講演をvague（ぼんやりして曖昧）だと評しつつ、自分はambiguous（両義的で曖昧）としての「あいまいな日本の私」であるとし、その日本の曖昧さがたとえば第二次世界大戦に至るアジア侵略につながったと述べる。

●第4回・おわりに

アジアの聖と賤　被差別民の歴史と文化　野間宏、沖浦和光著（河出文庫、河出書房新社、2015年）＊初版は1983年（人文書院）。

日本の身分差別の構造が、インドの〈浄／穢〉観念（カースト制）や中国の〈貴／賤〉観念（律令制の身分制度）の影響の下につくられてきたことを歴史を追って語りあう。野間は小説家、沖浦は民俗学者。現在では社会状況に変化はあるが、日本の身分差別の根底を考えられる。

水俣病　原田正純著（岩波新書、1972年）

水俣病を知るならまずこの1冊。著者は水俣病研究の第一人者で、常に患者の立場から50年間水俣にかかわった医師。水俣病が「発見」され、患者の苦しみの中で原因究明やチッソ、国、県との交渉（闘い）が進む過程が、実証的に、憤りのにじみでる筆致で綴られる。

みな、やっとの思いで坂をのぼる　水俣病患者相談のいま　永野三智著（ころから、2018年）

著者は現在、今もなお水俣病に苦しむ患者の相談に乗り、水俣病を世に伝える仕事をしている。その中で聞きとった患者の言葉を中心に、水俣病の現在や自らと水俣とのかかわりを記した1冊。

常世の舟を漕ぎて　熟成版　緒方正人語り、辻信一編著（SOKEIパブリッシング、2020年）＊初版は1996年（世織書房）。

川本輝夫（127ページ参照）とともに水俣病の未認定患者救済運動の中心となった緒方正人の半生の聞き書き。緒方は自らも患者として認定申請をしながら途中でとり下げ、水俣病を生んだ社会に生きる自身の加害性を直視する。「責任」「いのち」をめぐる言葉などは最首さんの思想につながる。語りの魅力に満ちた本。

苦海浄土　わが水俣病　石牟礼道子著（講談社文庫、1972年、新装版2004年）＊初版は1969年（講談社）。

連作『苦海浄土』の第一部。水俣病が社会問題化する前からの患者たちの姿と苦しみを伝える、ともかく読むべき1冊。1974年に第三部、2004年に第二部刊行。

魂の秘境から　石牟礼道子著（朝日文庫、2022年）

著者の最晩年、2015～18年に新聞に連載したエッセイ。「避病院」（129ページ参照）の話が記されている。

あやとりの記　石牟礼道子著（福音館文庫、2009年）＊初版は1983年（福音館書店）。

最首さんが「覆面書評」を連載していた雑誌『子どもの館』（福音館書店）に、その縁もあって連載された作品。

自分を焚く　石牟礼道子著（1971年発表）

水俣病告発運動にかかわり、集団の中で「個である自分が、そこにいることの羞恥と違和感」を抱きつつも、「魂たちのいるところになんとかいざり寄るべく」「護摩を焚くかわりに、ことばを焚いてきた」、「ことばが立ち昇らなくなると、自分を焚いた」と記すエッセイ。**『石牟礼道子全集・不知火』**第3巻（藤原書店、2004年）に収録。

根をもつこと　シモーヌ・ヴェイユ著、冨原眞弓訳（岩波文庫、上下巻、2010年）＊原著は1949年。

34歳で亡命先で亡くなった哲学者ヴェイユの未完の書。本書のあとがきにある「世界にたったひとりいるとせよ。……」という言葉はこの本の冒頭から（翻訳は最首さん）。

●その他のおすすめ本

〈共生〉から考える　倫理学集中講義　川本隆史著（岩波現代文庫、2022年）＊初版は2008年『共生から』（岩波書店）。

孤独・ケア・教育・臨床・エコロジー・人権の6テーマで「共生」を考える。竹内敏晴、石原吉郎、宮沢賢治、立岩真也、森崎和江など引用も豊富で、多くを得られる。読書ガイドとして、また「ケアの倫理」入門にも。

増補新版　ザ・ママの研究　信田さよ子著（よりみちパン！セ、新曜社、2019年）＊初版は2010年（理論社）。

最首さんは星子さんとのかかわりの中で二者性の考え方を育んだ。一方で、親子や家族は千差万別。子どもにとって親は大切な存在でも、密な関係では息づまることもある（特に母娘関係では）。本書は娘の立場から「ママ」を対象化し研究する本。自分を大切にしながらママと楽しくつきあっていくために。パパやばぁばの研究も掲載。

著者 ＝ 最首悟（さいしゅ・さとる）

1936年福島県生まれ。生物学者、社会学者、思想家。東京大学教養学部助手を27年間務め、1977年より不知火海総合学術調査団（水俣病に関する実地調査研究）に参加。また障害者の地域作業所「カプカプ」の設立・運営に携わる。現在、和光大学名誉教授。著書に『いのちの言の葉』（春秋社）、『新・明日もまた今日のごとく』（くんぷる）、『星子が居る』（世織書房）ほか多数。

装画・本文イラスト ＝ 中井敦子（なかい・あつこ）

1982年生まれ。京都市在住。本の挿画を中心に絵を描き、こどもの絵画と造形のアトリエを営む。装画・挿画の主な仕事に『神戸・長田のちいさな子守唄』（DANCE　BOX）、『海女たち』（新泉社）、『ちいさい・おおきい・よわい・つよい』（ジャパンマシニスト社、111号〜132号）など。

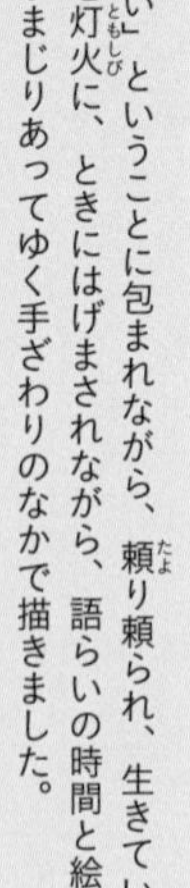

シリーズ 「あいだで考える」

能力で人を分けなくなる日

いのちと価値のあいだ

2024年 4 月 1 日　第 1 版第 1 刷発行
2024年 6 月30日　第 1 版第 2 刷発行

著者　最首 悟

発行者　矢部敬一
発行所　株式会社　創元社
本社
〒541-0047 大阪市中央区淡路町4-3-6
電話 (06) 6231-9010 (代)
東京支店
〒101-0051 東京都千代田区神田神保町1-2 田辺ビル
電話 (03) 6811-0662 (代)
ホームページ　https://www.sogensha.co.jp/

構成・編集　藤本なほ子
装丁・レイアウト　矢萩多聞
装画・本文イラスト　中井敦子　＊p.6 のイラストは参加者によるスケッチ。
印刷　株式会社太洋社

ISBN978-4-422-36016-4 C0336

＊本書には、現在の社会では差別的あるいは暴力的とされることのある表現が含まれていますが、発言や文学作品内でのニュアンスをそのまま伝えるため、元の形のままで掲載しています。

シリーズ「あいだで考える」

創刊のことば

私たちは、本を読むことで、他者の経験を体験できます。

本の中でなら、現実世界で交わることのない人々の考えや気持ちを知ることができます。自分と正反対の価値観に出会い、想像力を働かせ、共感することができます。

本を読むことは、自分と世界との「あいだに立って」考えてみることなのではないでしょうか。

さまざまな局面で分断が見られる今日、多様な他者とともに自分らしい生き方を模索し、皆が生きやすい社会をつくっていくためには、白でもなく黒でもないグラデーションを認めること、葛藤を抱えながら「あいだで考える」ことが、ますます重要になっていくのではないでしょうか。

シリーズ「あいだで考える」は、10代以上すべての人のための人文書のシリーズです。

書き手たちは皆、物事の「あいだ」に身を置いて考えることの実践者。その生きた言葉は、「あいだ」を考えるための多様な視点を伝えます。

それを読むことは、自ら考える力、他者と対話する力、遠い世界を想像する力を育むことを助け、正解のない問いを考えてゆくためのねばり強い知の力となってゆくはずです。

先の見えない現代、10代の若者たちもオトナと呼ばれる世代も、不安やよりどころのなさを感じ、どのように生きてゆけばよいのか迷うことも多いはず。

本シリーズの一冊一冊が「あいだ」の豊かさを発見し、しなやかに、優しく、共に生きてゆくための案内人となりますように。

そして、読書が生きる力につながる実感を持ち、知の喜びに出会っていただけますようにと願っています。